D0226937

GRAND CAFÉ

CARAVELLES
collection dirigée par Albert Bensoussan

SILVIA LARRAÑAGA

GRAND CAFÉ

TRADUIT DE L'ESPAGNOL (URUGUAY) PAR
ANNE-MARIE CASÈS

TERRE DE BRUME

Titre original :

GRAN CAFÉ

Cet ouvrage a été traduit avec le soutien du Centre National du Livre

EN COUVERTURE :

Café Florian (détail)

par Dale Kennington

© Stock Image

•

Éditions Terre de Brume ISBN 2-84362-196-8

Dépôt légal : avril 2003

À Miguel

« De toutes les certitudes, la plus certaine est le doute »
Bertolt Brecht

« Mais nous qui rêvons tant de choses,
ne nous serions nous pas rêvés
l'un l'autre ? »
Miguel Machalski

Chapitre premier

Ce matin-là, au Grand Café, Juan de Menda nous faussa compagnie. Le temps de nous installer à notre table, il s'était éclipsé. Nous vîmes ses cheveux blonds briller dans un intervalle entre les boxes : notre invité s'enfonçait résolument dans les profondeurs de la grande salle.

Nous l'attendîmes un moment, en nous livrant à de vaines spéculations sur ses intentions, le degré de connaissance des lieux qu'avaient pu lui transmettre nos informations, le but de sa mission, enfin, point d'interrogation permanent. Il avait dû aller aux toilettes, c'était le plus probable, et nous étions curieux de savoir lesquelles lui auraient été attribuées, et quel genre de perplexité ou de rêverie se lirait au retour sur son visage. Ce seraient là, pratiquement, nos seules bases pour de nouvelles hypothèses, étant donné le laconisme qui le caractérisait.

Son retard commençait à être inquiétant. Nous avions de bonnes raisons de nous faire du souci, sachant qu'il avait omis la précaution de demander au garçon de café — à qui on donne depuis toujours le nom d'employé, chez nous — un badge d'autorisation, comme l'exigeait le règlement. J'étais, de nous trois, la plus indiquée pour partir à sa recherche, du fait que je détenais un *permis de déambulation* qui me dispensait de l'autorisation spéciale accordée par les employés sous la forme de ce badge rond, en métal, portant les initiales de l'établissement. Je m'en fus, donc, avec l'accord de mes camarades.

J'avançai au ralenti, pendant un certain temps. Il n'était pas facile de s'orienter, surtout sans rien voir au travers des panneaux vitrés assez hauts qui isolaient les tables les unes des autres et avaient provisoirement perdu leur transparence, de l'extérieur, pour devenir autant de miroirs. Je marchais pour ainsi dire à l'aveuglette, ne parvenant que par moments à repérer l'enseigne lumineuse entourée d'ampoules clignotantes qui indiquait *Lavabos*.

Entre autres attractions du Grand Café, attractions dont le clou étaient les toilettes, figurait ce phénomène d'*opacification*, comme on l'appelait, des panneaux ou cloisons. Les clients ne pouvaient le percevoir de leur table, ne se rendant compte de la perte de transparence unilatérale de leur cloison que lorsque les employés se montraient totalement indifférents à leurs signes — avions-nous raconté à Juan de Menda. Dans ces cas-là, en effet, les garçons s'en tenaient strictement aux commandes prises à l'intérieur des boxes, en faisant abstraction des tables voisines, invisibles pour eux derrière les panneaux réfléchissants. Surprenante était d'ailleurs la capacité des employés à si bien s'orienter dans ce dédale, sans avoir besoin de voir le visage de la clientèle. Leur pas était preste et assuré, malgré l'absence de tout point de repère visuel : groupes identifiables, têtes connues, ou accessoires frappants par leur couleur ou leur étrangeté, tels les chapeaux, et plus précisément leurs plumes, devenues si à la mode. On les voyait de temps en temps jeter un regard satisfait sur le reflet de leur personne dans les cloisons-miroirs.

J'errai longuement dans ces couloirs labyrinthiques incurvés par la convexité des panneaux, ne voyant rien d'autre que mon image reflétée à l'infini de quelque côté que je tourne la tête. Les regards insaisissables des consommateurs glissaient sur mon corps offert à leurs yeux sans qu'il me soit possible de mesurer leur degré de distraction ou de convoitise. Lorsque, un peu perdue, je jetais par les ouvertures un coup d'œil vers les tables dans l'espoir de m'orienter, je ne découvrais qu'inconnus à l'air hostile ou moqueur.

Il se produisait par moments de véritables embouteillages provoqués par les *déambulants*, comme on les appelait, qui venaient d'autres couloirs grossir une file serpentine, et nous faisions alors du sur-place. Occupés à nous effacer pour laisser passer les employés sans être bousculés, et flanqués par la succession vertigineuse de notre reflet, nous ne savions quelle direction prenait cette file. Nous cheminions les uns derrière les autres, presque sans rien dire, mais unis par une discipline de fer qui n'autorisait personne à transgresser l'ordre en se faufilant.

Je finis par découvrir qu'il existait un moyen de se repérer : l'immense glace du plafond, qui nous reflétait tous. La hauteur était assez considérable, et il fallait avoir de bons yeux, mais les aléas de la combinaison génétique — selon le discours alors à la mode — m'en avaient dotée. Je me trouvais dans la partie la plus encombrée ; on voyait dans la glace une vaste zone médiane, dégagée, avant d'arriver à celle des toilettes, de nouveau embouteillée. Je vérifiai, sans surprise, que le tracé des couloirs entre les panneaux était capricieux et enchevêtré, de sorte qu'une rencontre avec Juan de Menda ne pouvait être que le fruit d'un hasard hautement improbable. Je n'en continuai pas moins à jeter vers le plafond de petits coups d'œil périodiques, dans l'espoir de le découvrir.

Il y avait de fortes chances pour que notre invité ait déjà regagné, par un autre chemin, la table où l'attendaient Wilfredo et Marilyn mais, de toute façon, c'étaient maintenant mes propres impératifs physiologiques qui me poussaient vers les toilettes. Il était assez simple, à l'aide de la glace, de déterminer l'itinéraire le plus court pour y parvenir, et il me sembla que, quelle que soit la lenteur de cette file, je n'aurais pas trop longtemps à attendre. D'ailleurs, la plupart des déambulants prenaient des bifurcations qui les en éloignaient, soit qu'ils aient un autre but que les toilettes, soit faute de s'orienter convenablement, mais c'était leur affaire, décidai-je pour une fois avec désinvolture. Je m'étais déjà assez émue de ceux qui faisaient dehors une interminable queue où alternaient confiance et découragement. Disparaissant par endroits sous les bancs de brouillard qui depuis quelque temps affectaient la région, nombreux étaient pourtant mes congénères à vouloir à tout prix entrer un jour au Grand Café.

C'est ce même brouillard qui nous avait dérobé la vision de Juan de Menda quand il était descendu de l'avion en se frayant un passage dans les masses cotonneuses discontinues, tandis que, de la terrasse, Marilyn et moi tentions de distinguer sa silhouette.

« Ridicule », fut son premier mot, peu après que les douaniers eurent inspecté minutieusement ses bagages et chacun des vêtements qu'il portait, démarche obsolète, que je sache, depuis que l'on a privé — aussi arbitrairement qu'on les en avait jadis pourvues — certaines réalités topographiques de leur caractère de limite. « Ridicule », fut son premier mot, sans qu'il nous soit possible de savoir exactement de quoi il parlait. Les douaniers faisaient leur métier avec un détachement zélé de fonctionnaires, très semblable à celui des employés du Grand Café, devions-nous expliquer par la suite à Juan de Menda, qui se taisait et prenait des notes parce qu'il n'était pas venu pour parler, mais pour écouter et s'informer.

Il disposait de peu de jours, nous sembla-t-il comprendre, pour rassembler les données nécessaires à ce que nous supposâmes être, mes *corégionnaires* — comme on veut maintenant nous faire dire — et moi, quelque chose comme un reportage. Le Grand Café représentait, à n'en pas douter, une particularité de notre région. Construit sur la base de l'ancien café, il s'était d'abord agrandi grâce à l'acquisition de locaux ou de maisons voisines. Mais il avait peu à peu pris des dimensions démesurées, rasant des pâtés entiers d'immeubles, forçant à déménager vers des zones périphériques un nombre toujours croissant de familles. Extensions et embellissements successifs l'avaient rendu méconnaissable, au détail près de la porte à tambour, que l'on avait conservée.

« À l'époque de mon aïeule — m'avait une fois raconté ma mère —, cette porte à tambour fut, un temps, la seule à exister dans notre ville. Les gens venaient de quartiers éloignés et faisaient des kilomètres pour la faire tourner. On en a rapidement installé d'autres, mais aucune n'a jamais été aussi bien conçue, aussi grande, ni d'un bois aussi beau. »

Marilyn, Wilfredo et moi avions été désignés pour accueillir Juan de Menda et lui fournir toutes les informations voulues sur le Grand Café et son fonctionnement. Quoi d'étonnant si nous nous sentions responsables de son sort dans cet établissement où nous l'avions pour l'heure perdu de vue !

Avant son arrivée, nous avions reçu chacun par courrier, en tant que chargés de mission, un dossier avec une fiche comportant des précisions — inutiles, à vrai dire — sur notre « invité » (taille, carrure, poids, groupe sanguin, couleur de la peau et des yeux, âge, taux de cholestérol, etc...). Marilyn en avait curieusement déduit que cela correspondait à un bel exemplaire masculin de l'espèce humaine, concluant que les autorités espéraient sans doute, par l'envoi de cette fiche, ajouter une motivation supplémentaire à l'intérêt financier de la mission. On ne mentionnait dans le dossier aucune origine hispanique de notre visiteur, comme son nom aurait pu le faire penser, et nous avions été d'avis qu'il s'agissait sans doute d'un pseudonyme pour une profession qui ne figurait pas au nombre des renseignements communiqués. Le seul détail réellement intéressant pour nous était celui nous informant que Juan de Menda ne maîtrisait qu'imparfaitement l'anglais et possédait dans notre langue un vocabulaire passif de quatre-vingts pour cent, contre un actif de vingt pour cent, colossale différence qui pouvait bien être le signe, pensai-je, d'une timidité invétérée.

Le laconisme de Juan de Menda et la difficulté que nous eûmes à déchiffrer les subtils mouvements de ses muscles faciaux ne nous avaient pas fourni, jusqu'à présent, de plus amples informations sur les motivations de sa venue ni l'utilité de sa « mission ». Aux premières heures de son arrivée nous n'avions entendu dans sa bouche, de façon répétée, que la même combinaison de mots, accompagnée de variantes exclamatives, par quoi il semblait qualifier de « ridicule » le temps imparti, et qu'il ponctuait presque toujours d'un violent coup des pieds ou des mains sur toute surface à sa portée. Ces manifestations n'avaient pas été sans nous surprendre, car elles contredisaient le qualificatif de *gentleman* dont l'avaient gratifié les autorités.

L'ordre de mission à caractère obligatoire et rémunéré nous avait été transmis par voie postale, quelques jours auparavant, par des instances supérieures officielles et, comme de coutume, plus ou moins anonymes. Marilyn était depuis toujours en possession du *sauf-conduit* — comme on l'appelait — qui permettait d'entrer au Grand Café sans avoir à faire la longue queue de la rue. À partir de ce moment je détins moi aussi, de même que Wilfredo, cette carte magnétique qui débloquait la porte à tambour. Pour des raisons inconnues, j'eus le privilège de recevoir en outre un permis de déambulation dont étaient dépourvus mes corégionnaires, qui n'auraient pu, comme j'étais en train de le faire et sans risque, partir à la recherche de notre invité entre les panneaux du Grand Café.

De-ci de-là retentissaient les sonneries de vidage des lieux, accompagnées d'un petit clignotant rouge toujours multiplié en reflets au plafond ou sur les panneaux. Les clients installés aux tables concernées obtempéraient immédiatement, avant d'y être contraints d'autorité par les employés ; ils le faisaient sans hésiter, même s'ils venaient tout juste d'entrer et de s'asseoir après être restés des heures dans la queue à se fabriquer des varices, trempés d'humidité par les caprices du brouillard.

Quiconque pénétrait au Grand Café devait accepter les rythmes aléatoires qui le régissaient. Aussi s'y trouvait-on sans savoir pour combien de temps, avions-nous expliqué à Juan de Menda. « Comme dans la vie », avait ajouté Marilyn, d'un ton presque enjoué. Mais notre cas était exceptionnel — lui avions-nous dit également ; de la même façon que nous disposions tous les quatre de sauf-conduits dont la validité durerait jusqu'à la fin de notre mission, nous étions aussi autorisés — spécifiaient nos papiers officiels — à demeurer au Grand Café le temps que nous voudrions, et exemptés de toute sommation de vidage.

Au Grand Café, les échanges entre consommateurs qui ne se connaissaient pas n'étaient en général ni abondants ni suivis ; les panneaux insonorisés empêchaient toute communication d'une table à l'autre, sauf par moments, et seulement visuellement, quand la transparence était rétablie. Mais le climat changeait à présent, au fur et à mesure que nous nous rapprochions de la zone des toilettes : les déambulants et moi-même parlions entre nous sans retenue, indifférents au mécontentement qui se lisait sur le visage des employés, mordus par la jalousie. Il faut dire qu'ils évoluaient dans ce secteur-là en patins à roulettes, et avaient du mal à capter nos propos ; nous bavardions donc, avec une liberté prudente, de beaucoup de choses, dans le désordre et, comme toujours au Grand Café, en échafaudant des hypothèses diffuses et contradictoires. Le passage en coup de vent des employés à côté de nous déclenchait des commentaires chuchotés qui les prenaient pour cible.

Certains affirmaient que les garçons étaient au courant de tout, qu'ils connaissaient les directeurs de l'établissement ou exerçaient eux-mêmes cette fonction. Ils étaient, en tout cas, les dépositaires du pouvoir, sur le reste planait le mystère. D'autres inclinaient pour la version si souvent répétée par les employés, d'un invariable ton sec, aux clients qui les interrogeaient : ils ne savaient absolument rien, n'ayant accès pour se changer qu'à une pièce minuscule et dépourvue de fenêtre; ils n'avaient fait que répondre à une petite annonce où les qualités requises étaient un physique mince, une santé robuste et un caractère autoritaire. On demandait une photo et la réponse à un questionnaire; tout se faisait par courrier; c'est de cette façon qu'ils avaient reçu leur sauf-conduit permanent et la tenue qu'ils portaient, et c'est par courrier qu'ils recevaient ponctuellement leur salaire.

Il était difficile de ne pas les confondre entre eux tant ils se ressemblaient, presque identiques au garçon de café longiligne, penché vers son plateau en équilibre sur les doigts de la main gauche, qui constituait le logo de l'établissement, imprimé sur tables et serviettes, et reproduit sur l'enseigne lumineuse de la rue.

Les plus expansifs des clients n'étaient pas ceux qui attendaient l'accès aux lavabos pour satisfaire des besoins d'évacuation de plus en plus pressants, qui les plongeaient dans un silence concentré, mais les autres, répartis en deux groupes, d'après mes observations : ceux qui se trouvaient là par curiosité, désireux de vivre « l'expérience des toilettes », et ceux qui avaient été délogés de l'établissement et prolongeaient ainsi, aux limites de la légalité, leur séjour au Grand Café.

– Quelle belle éclaircie nous avons eue, n'est-ce pas? dit une femme derrière moi.

Ses grands yeux bleus fixaient le plafond de verre étamé par où nous était parvenue la lumière prodigieuse, m'invitant à partager sa nostalgique extase. Sans doute m'avait-elle vue lever les yeux là-haut, car je n'avais pas entièrement renoncé à retrouver Juan de Menda.

– Je cherche quelqu'un — lui dis-je pour la tirer de son erreur, mais son expression béate n'offrait pas la moindre faille. — Superbe, en effet — acquiesçai-je alors, et pas uniquement par courtoisie; j'avais moi aussi apprécié l'*éclaircie* de la veille au soir.

La femme sourit avec une complaisance complice, et j'eus l'impression qu'elle voulait faire étalage de son privilège ; si elle s'était trouvée deux jours de suite au Grand Café, c'est qu'elle devait être en effet en possession d'un sauf-conduit, voire, comme moi, d'un permis de déambulation.

– La validité du sauf-conduit est aléatoire, lui glissai-je, histoire de lui gâcher le plaisir ; « ils » sont seuls à connaître sa date de péremption.

La femme l'ignorait, visiblement ; elle me regarda avec un effarement sceptique circonscrit dans les arcades sourcilières.

– Un beau jour, poursuivis-je, on introduit sa carte dans la rainure, comme d'habitude, mais la porte reste obstinément bloquée. C'est comme ça, croyez moi. Seul le certificat de déambulation est valable à vie.

– Je n'en ai pas non plus — me dit-elle dans un souffle, pour ne pas être entendue de l'employé dont la vitesse pourtant, en vertu des patins à roulettes, excluait tout danger — ; il n'est guère difficile de se procurer un badge, ajouta-t-elle, en caressant son petit disque de métal.

Il existait un marché noir de badges à l'intérieur et à l'extérieur du Grand Café, comme il en existait aussi de sauf-conduits et de permis de déambulation, avions-nous raconté à Juan de Menda. Une stricte surveillance était, de toute manière, à peu près impossible. À cause du nombre limité de garçons, qui assumaient la double tâche, et de servir les clients, et de faire respecter le règlement intérieur.

– Je suis à la recherche de quelqu'un qui a quitté notre table sans avoir son badge, dis-je en regardant à nouveau le plafond.

– Et comment savez-vous s'il n'a pas acheté un permis de déambulation au marché noir ? demanda la femme.

– Il vient d'arriver dans notre région et n'a que des rudiments de notre langue.

– Ne vous en faites pas, s'il parle anglais il ne court aucun risque, intervint un autre client dans le dos de la femme.

– Quelle belle éclaircie nous avons eue, n'est-ce pas ? recommença-t-elle, tentant sa chance auprès de l'homme qui venait de parler.

– Nous autres, en revanche, continua ce dernier sans paraître l'avoir entendue, nous aurions tort de nous croire à l'abri. Tôt ou tard, il nous faudra payer pour une infraction quelconque. Ils nous surveillent et savent tout ce que nous faisons. Ils ne laissent rien au hasard.

Le client, dont les chaussures fatiguées juraient avec un costume en assez bon état, faisait partie de ceux que Marilyn appelait, me dis-je, les paranoïaques « orwelliens ».

– Vous vous trompez, rétorqua la femme, ici on accorde au hasard la place qui lui revient.

Elle reprit sa contemplation du plafond de verre, comme reconnaissante d'avoir joui la veille du privilège du soleil, ou de son simulacre, dont l'effet la soulageait encore du poids aveugle du brouillard, et se livra à une évocation lyrique des éclaircies. Dans ces moments d'exception, dit-elle, les voix se taisaient, les regards brillaient d'un plaisir serein, les joues se teintaient de rose, on percevait tout à coup l'allégement de l'atmosphère purgée de soucis et une étrange fraternité parcourait, lentement mais sûrement, le réseau invisible des tables ; les employés eux-mêmes ralentissaient leurs gestes et rabattaient de leur superbe. On racontait que les vieillards recouvraient leur vigueur d'antan et que les douleurs s'apaisaient, surtout celles de nature psychosomatique...

– Pendant votre si belle éclaircie, moi j'étais dehors à faire la queue, l'interrompit le client avec une ironie amère.

La pensée me vint que c'était peut-être à cette pratique répétée qu'il fallait attribuer le piteux état de ses chaussures.

Nous avions expliqué à Juan de Menda que la lumière solaire qui enveloppait soudain la clientèle à l'intérieur du café provoquait simultanément une opacification des baies vitrées, transformées en miroirs pour ceux qui étaient dehors sans que s'altère leur transparence pour ceux du dedans, comme il en était des panneaux et de certaines lunettes photosensibles.

On se mit à discuter dans la file, qui avançait lentement, de la genèse des éclaircies. L'opinion dominante était que, malgré leur caractère prodigieux, le mécanisme qui les déclenchait était d'origine humaine. C'est bien ce que nous avions dit, en son temps, à Juan de Menda. L'installation datait de la réfection du Grand Café et cela fonctionnait pratiquement seul, comme tout le reste ici.

– Chaque chose est le fruit d'une divinité oisive, intervint une fille à l'articulation déformée par une application concomitante de rouge à lèvres. Sa phrase, incomprise, tomba dans un vide momentané.

– Les éclaircies, dit l'homme aux chaussures éculées, sont des plongées dans les ténèbres pour ceux qui endurent le brouillard extérieur. Les baies vitrées leur renvoient leur reflet auréolé de brume : une situation pathétique que le dédoublement même leur interdit d'oublier.

Le silence se répandit parmi les clients, dégoulinant de culpabilité poisseuse.

La porte d'entrée des toilettes, que je pus entr'apercevoir à partir d'un certain moment, était peu ou prou telle que je me l'étais imaginée. On ne revoyait plus les gens qui la franchissaient; la sortie se trouvait probablement non loin de là, mais sans être visible de l'endroit où nous étions.

Si toutes sortes de bruits couraient à propos de ces lavabos, on n'en savait rien avec certitude, avions-nous dit à Juan de Menda. Moi, j'y allais pour la première fois; quant à Wilfredo et Marilyn, le sort ne leur avait jamais attribué ces toilettes spéciales où l'on pouvait, paraît-il, écouter de la musique, regarder des films, se baigner dans une piscine, jouer à des jeux électroniques, manger des plats exquis, apprendre une langue extra-régionale, etc... Ils avaient bien serpenté entre les panneaux et, arrivés devant les toilettes, pressé au hasard des touches numérotées; la porte, en se débloquant, n'avait révélé aucun spectacle extraordinaire; un certain luxe, des éléments de marbre, mais rien que de très conventionnel en fin de compte. Mes corégionnaires soupçonnaient tout cela de n'être qu'une monumentale fiction collective, avaient-ils dit à Juan de Menda. Quelque chose pourtant donnait à penser : il était indéniable que certains — d'aucuns disaient « un grand nombre » — n'en étaient jamais revenus.

Au fur et à mesure que nous approchions du but, l'anxiété devenait contagieuse, adoucie toutefois grâce à des tranquillisants jetés à la volée par les employés; beaucoup ramassaient les comprimés et les avalaient tout rond. L'atmosphère était solidaire, semblable à celle qui règne dans les rangs de candidats à un examen. Les contacts physiques n'étaient pas exclus, bien que réduits le plus souvent à un frôlement de mains moites caressant un visage ou s'emparant d'une autre main tout aussi moite.

– La rumeur publique dit aussi qu'ils changent fréquemment de genre de toilettes pour déjouer les stratégies prévisionnelles, affirma le type aux chaussures fatiguées.

– ...prévisionnelles du hasard, ajouta-t-il au bout d'un moment, en voyant que personne ne lui demandait d'explications. C'est ce qu'on appelle un oxymore : une association de termes contradictoires, poursuivit-il, résigné à parler pour lui-même.

De tous ceux qui faisaient la queue, aucun n'avait auparavant vécu « l'aventure » ou « l'expérience » des toilettes, comme on disait. Un client, devant moi, connaissait personnellement quelqu'un qui assurait l'avoir tentée ; c'étaient des *toilettes-salon de coiffure* qui lui avaient été attribuées, et il en était ressorti, selon ses propres termes, avec la meilleure coupe de cheveux de sa vie. Mais notre compagnon de file ne put nous préciser où s'était retrouvé son ami, si c'était à l'intérieur du café ou directement dans la rue.

– Certains se retrouvent dans la campagne, dit un homme obèse à qui son aspect physique et sa voix flûtée ôtaient tout crédit.

Une vague de rires sceptiques secoua les corégionnaires alentour.

– Il y a même des latrines, sordides et malodorantes, aventura de nouveau l'obèse. C'est une loterie.

Cette fois il n'y eut pas de rires, et le type aux chaussures éculées en profita pour déclarer :

– Les toilettes qui vous sont attribuées sont une récompense ou un châtiment ; il n'y a pas de hasard qui vaille.

Un moment de silence pensif s'ensuivit ; les yeux des clients détaillaient le costume de celui qui avait parlé, se posaient brièvement sur ses souliers lamentables puis regardaient dans le vide, comme s'essayant à saisir au vol de secrètes réponses vagabondes.

– Le hasard a toujours sa part, intervint la fille, les lèvres fraîchement vernissées de carmin.

La femme aux yeux bleus dit alors, sur un ton de cantilène :

– Les autorités ont tout simplement décidé de s'adapter aux lois naturelles de la vie. Nous ne sommes entièrement gouvernés ni par un hasard aveugle ni par la justice, mais par une combinaison des deux en proportions variables. Aussi ont-elles décidé de soumettre une partie des décisions au « hasard » et le reste à la « justice ». Ce qui divise l'opinion, c'est la conviction de certains que les autorités s'en remettent une fois de plus au hasard pour savoir quelles décisions doivent être tirées au sort, et quelles autres obéir à des critères de justice.

Les tranquillisants commençaient à faire leur effet ; les tendons qui maintenaient la mâchoire des clients se relâchaient, la laissant pendre. La vitesse des employés en patins à roulettes semblait avoir diminué ; ils la modulaient maintenant en figures et s'arrêtaient un instant comme pour nous écouter ; leur expression avait changé sans qu'on puisse savoir si leur sourire flottant aux commissures était provoqué par ce qu'ils entendaient ou par la satisfaction de nous montrer leur maestria.

Les propos de mes compagnons évoquaient le codage incohérent des rêves, et les phrases se succédaient en un faux dialogue d'ivrognes.

– Les autorités, les directeurs, quels qu'ils soient et où qu'ils se trouvent…

– Tout est tiré au sort…

– Il existe une vérité pour chaque chose…

– Comment savoir quand ils nous récompensent et quand ils nous punissent ?…

– « …des perles aux cochons »…

– Certaines décisions au hasard et d'autres à la justice…

– Quels que soient et où que se trouvent…

– On tire d'abord au sort pour savoir si ce que l'on fera doit être à son tour tiré au sort…

– « …pavé de bonnes intentions »…

– Écoutez ! fit soudain la fille au rouge à lèvres, qui n'avait, de toute évidence, absorbé aucun tranquillisant. Quels que soient et où que se trouvent ceux qui ont concocté tout ça, ce qui est sûr, c'est qu'ils ont été écœurés du résultat et ont pris la poudre d'escampette.

Hypothèse difficile à admettre, pensai-je, avec ces employés nous frôlant comme des corbeaux aux yeux bridés par la ruse. Me voyant sur le point d'arriver à la porte des lavabos, j'avalai moi aussi un tranquillisant.

Enfin mon tour arriva de taper sur les touches, et j'y inscrivis ma date de naissance. On entendit derrière la porte des bruits métalliques de mécanismes complexes en déplacement ; quand ils prirent fin, un léger claquement annonça l'ouverture de la serrure. Je me retrouvai dans des toilettes d'une parfaite banalité, et je n'étais pas plus tôt dedans que les mêmes bruits qu'au début se firent entendre dans mon dos. Je ne fus guère surprise, après avoir uriné, de constater qu'il m'était impossible de sortir par où j'étais entrée, la porte ne s'ouvrant que dans un sens.

Je m'activai un bon moment à la recherche d'une autre issue, me sentant progressivement envahie par tous les symptômes physiques et psychiques de la claustrophobie. Le tranquillisant que j'avais cru absorber devait être un vulgaire placebo — pensai-je —, et le hasard m'avait adjugé des *toilettes-cachot* où celui qui entrait était condamné, sans autre forme de procès, à périr d'angoisse et d'inanition. Qu'on n'en ait jamais entendu parler, rien de plus logique ; nul n'avait survécu pour le raconter. Au-dessus et autour du lavabo, le mur se transformait en miroir ; j'eus l'idée, en le frappant du talon de ma chaussure, d'en faire sauter un éclat pour m'ouvrir les veines ; mourir à petit feu était la pire des choses ; mais le miroir, une sorte de matière plastique, tenait bon. Je finis, je ne sais plus quand, par me mettre en boule par terre pour attendre la mort, et fus prise de cauchemars.

Au bout d'un temps impossible à évaluer, une voix au ton aussi neutre que celle qui nous recevait à la porte des lavabos, surgie, me sembla-t-il, de derrière le miroir, prononça la phrase suivante, me tirant d'un sommeil à l'odeur de désinfectant pour carrelage : « Le hasard vous a été favorable ; vous avez l'autorisation de sortir ; veuillez pour ce faire vous approcher de la porte et appuyer doucement l'une de vos deux mains. » Je choisis la droite pour ne pas avoir ensuite à me reprocher d'avoir poussé le bouchon un peu loin ; c'était la main que j'aurais, puisque j'étais droitière, utilisée spontanément.

Je me retrouvai dans un couloir que je n'avais pas vu en entrant ; sa mise en place, accompagnée de bruits mécaniques de déplacement comme ceux que j'avais entendus plus tôt, avait dû se faire pendant le profond sommeil dont seule la phrase m'avait tirée. Le tranquillisant n'était pas un placebo, mais probablement un somnifère. Le couloir se divisait, un peu plus loin, en trois branches ; je pris celle du milieu, qui correspondait à une trajectoire en ligne droite, pour me donner à moi-même l'impression de ne pas choisir. Il y avait au fond une porte battante, et je fus bien obligée de la pousser.

J'étais dans une espèce de grande remise, au plafond en *trompe-l'œil* * imitant les structures métalliques des gares. L'ensemble, assez inclassable malgré tout, évoquait les décors d'Orson Welles dans *Le procès*, m'imaginai-je dire au retour à mes corégionnaires. Il ne leur ressemblait malheureusement pas tant que ça ; il était beaucoup moins esthétique ; nous n'avons dans notre finalement jeune région que de très maigres vestiges d'époques anciennes — expliquerais-je à Juan de Menda. D'immenses tentures de velours rouge, semblables à des rideaux de scène, couvraient de grands pans de mur.

Il y avait beaucoup de monde, sans qu'on puisse parler d'entassement ; l'espace était simplement très vaste. Je reprenais espoir de retrouver notre invité, me sentant, de toute façon, pleine d'un optimisme quasi euphorique ; la mort solitaire, qui m'avait terrifiée aux lavabos, ne s'était pas produite, et si jamais la fin m'attendait ici, au moins surviendrait-elle en compagnie. Au début, personne ne m'accueillit ni ne me donna d'instructions précises ; j'en déduisis que je jouissais de mon libre arbitre. Je pouvais pour l'instant, en tout cas, choisir entre déambuler dans la remise ou m'asseoir sur un des fauteuils pliants de toile que l'on voyait de-ci de-là, du style de ceux qu'utilisent traditionnellement les metteurs en scène de cinéma, et dont quelques-uns étaient encore libres.

Il me sembla reconnaître, de loin, un client du café, petit et malingre, qui avait fait la queue aux toilettes ; quelque chose de bizarre dans son attitude piqua ma curiosité. Il faisait sur place de petits bonds élastiques, et je me rendis compte en m'approchant que sa main droite, qu'il tenait près de son nez, était recouverte d'un gant de boxe. Je n'étais pas encore à sa hauteur qu'il se mit à décocher des uppercuts à une femme assez robuste dont le chapeau à plume tremblotante restait, chose étrange, imperturbablement vissé sur sa tête. Je voulus m'interposer mais, de la main gauche et à toute vitesse, le bonhomme écrasa sur le dos de

* En français dans le texte. (N.d.T.)

la mienne le mégot accroché à ses lèvres. Mes cris de douleur et de protestation arrivèrent aux oreilles de quelques individus qui passaient non loin de là, et dont la seule réaction fut de nous regarder avec indifférence. La femme au chapeau, quant à elle, n'apprécia guère mon intervention. Malgré la lèvre enflée qui l'empêchait d'articuler, je compris clairement ses paroles :

– Fichez le camp, me dit-elle.

Et elle ordonna au boxeur de poursuivre son entraînement.

À ce moment-là arriva une autre femme, tout essoufflée d'avoir couru. Je m'effaçai pour la laisser passer. Elle prononça trois phrases ; la première adressée au petit homme :

– Bravo de ne pas vous laisser intimider.

La deuxième à la cliente au chapeau :

– Vous, abstenez-vous de donner des ordres.

Et la dernière à moi :

– Fichez le camp.

Je parvins rapidement à la conclusion, en observant autour de moi, que la clientèle se répartissait en groupes de trois. J'avisai non loin de là six personnes, parmi lesquelles je reconnus une autre corégionnaire qui avait fait la queue devant les lavabos. Elle était chargée d'obliger un garçon affamé — qui sait combien de temps il avait moisi dans des toilettes du genre des miennes ! — à en regarder un autre, assis à la même table, s'en mettre plein la panse sous son nez. La tâche de la femme était assez passive, au moins, probablement, tant que le garçon ne se jetait pas sur la nourriture n'était pas pris d'agressivité ou, de façon plus pacifique, ne fermait pas les yeux, toutes choses qui, pour le moment, ne se produisaient pas. Il n'était pas difficile de conclure que mon ex-camarade de queue était à son tour surveillée par une tierce personne ; cette dernière ne la quittait pas des yeux. Il me sembla que sa fonction était identique à celle que remplissait un des deux clients qui flanquaient également celui qui mangeait ; c'est-à-dire empêcher toute crise d'altruisme soudaine au bénéfice de l'affamé. Je ne savais trop si celui qui mangeait le faisait ou non avec appétit. Comme l'on sait, le désir est rebelle, toujours enclin à aller à contre-courant, et il suffit que soient réunies les conditions de sa satisfaction pour le voir changer d'objet et tendre un nouveau piège d'une longue série sans fin, pensai-je, en m'efforçant de mémoriser la formule pour la répéter plus tard à Wilfredo et Marilyn.

Je saisis au vol certains mots ; le terme de *désigné* s'appliquait à ceux qui étaient obligés d'assumer un *destin* — prétendument dicté par le hasard — ; ceux qui avaient charge de veiller à son bon accomplissement étaient appelés *exécutants*, et il en existait au premier et au second degré. Ces derniers intervenaient lorsque l'efficacité des premiers laissait à désirer pour une raison ou une autre, y compris la mauvaise volonté. Dans ce cas c'étaient les exécutants au premier degré qui étaient punis, avant les désignés. Aussi me dis-je que les désignés n'étaient pas, contre toute apparence, les plus défavorisés dans l'histoire. Ils étaient dépourvus de responsabilité, puisque la seule chose qu'ils avaient à faire était d'obéir à un « destin ». Leur situation, bien qu'exposée à plus de dangers, était plus confortable ; elle évoquait celle de l'enfant qui ne comprend pas les raisons véritables des lois qui gouvernent sa vie, et ne se résigne à les respecter que pour éviter d'être puni. La responsabilité du comportement des désignés incombait exclusivement aux exécutants, ce qui expliquait que, en cas de non accomplissement, ils soient sanctionnés plus durement que les désignés.

Dans le même secteur, qui avait, semble-t-il, à voir avec l'activité alimentaire, plusieurs clients affamés, accompagnés de leurs exécutants respectifs, avaient été mis en présence d'une seule et unique assiette de nourriture. Cette fois, j'assistai à l'opération presque depuis le début. Ceux qui avaient imaginé le « tableau » — appelons-le ainsi — partaient de la base élémentaire que la présence d'un élément donné, dans certaines circonstances, devrait invariablement produire le même effet. Mais, contrairement aux prévisions, les affamés se comportèrent avec une extrême urbanité, et ce n'est que lorsque les exécutants les frappèrent ou les menacèrent de châtiments bien pires, que quelques-uns d'entre eux — pas tous — consentirent à disputer leur nourriture aux autres.

À ce moment-là entra en action une nouvelle catégorie de clients : les exécutants répresseurs. Leur tâche principale consistait à entraîner les irréductibles vers les ascenseurs, dont je ne parvins pas à savoir s'ils menaient à des étages supérieurs ou inférieurs. Ainsi firent-ils avec les désignés qui n'avaient pas accepté de se battre avec leurs semblables pour une assiette de nourriture, et avec un petit nombre d'exécutants qui s'étaient montrés trop tolérants.

Nous sommes en enfer — pensai-je —; avec un décalage de plusieurs siècles je me retrouvais, et sans l'aide de Virgile, sur les pas de Dante; rien n'avait beaucoup changé. Cette pensée était-elle ou non réconfortante? je n'aurais su le dire.

Ma conclusion, néanmoins, était quelque peu prématurée, comme je m'en rendis bientôt compte; en m'éloignant des gémissements, je pus constater que d'autres membres de la clientèle avaient reçu en partage des situations beaucoup plus agréables, conventionnellement paradisiaques : ils avaient à leur portée des mets délicats, étaient rafraîchis avec des éventails, massés, ou bien, de façon plus actuelle, pouvaient à loisir regarder un film, lire des livres ou des bandes dessinées, écouter de la musique. Tout cela n'était pas sans rapport, finalement, avec les bruits qui couraient au Grand Café sur les toilettes, mais avec des déformations imputables à l'ignorance et au cheminement tortueux de la rumeur.

Cependant, en me promenant parmi les heureux élus, je fus à même d'apprécier qu'ils jouissaient de leur bonne fortune avec des degrés de ferveur assez différents. Ceux qui la savouraient, tout entiers à leur plaisir, ne consentirent pas à me dire un mot, et je ne recueillis les impressions, régulièrement plaintives, que des mécontents, qui constituaient, et de loin, la majorité. Chacun disposait de ses deux exécutants, qui se bornaient à surveiller l'accomplissement des instructions sans prêter grande attention à ce que ces privilégiés trouvaient à objecter à leur bonheur. Ils n'avaient pas faim, protestaient ceux qui devaient manger; pas moyen dans cette remise infecte — disaient d'autres — de se concentrer sur le livre ou le film que l'on avait mis à leur disposition; il était fréquent que rien ne réponde à leurs goûts ou à leurs intérêts; de façon générale, ils vivaient mal le fait que tout cela, bien qu'agréable, leur ait été imposé. Il était surprenant, malgré tout, de constater qu'ils restaient de glace devant les cris de douleur véritable en provenance d'autres secteurs de la remise. Pour les piquer, je leur détaillais longuement les souffrances dont j'avais été témoin, mais ne réussissais que rarement à faire jaillir l'étincelle de l'oubli de soi, telle une lumière intermittente, au fond de leur cristallin.

Comme par association d'idées, un quidam, qui savourait sans conviction une glace à la framboise, demanda soudain si quelqu'un avait entendu parler des *exclus*.

J'étais sur le point de répondre négativement, après le silence qui s'ensuivit, quand un homme — l'exécutant au second degré d'un autre désigné — prit la parole :

– Ce sont les pauvres diables qui sont derrière les clôtures électriques. Pas ici. Sur l'autre rive, précisa-t-il.

– Je ne comprends pas, murmura le type à la glace.

La désinformation était maintenant habituelle dans notre région — avions-nous raconté à Juan de Menda — : il n'existait plus de chaînes de télévision ni de radios naguère appelées nationales, la presse écrite avait rendu l'âme et on n'avait à se mettre sous la dent qu'une kyrielle de chaînes étrangères. Le Grand Café était, de fait, le seul endroit où l'on pouvait s'informer, à travers les rumeurs, de ce qui se passait chez nous. Marilyn et Wilfredo s'étaient, une fois de plus, trouvés en désaccord sur ce point, quand nous en avions parlé avec Juan de Menda. Marilyn ne voyait que des avantages à l'existence exclusive de chaînes étrangères; rien de mieux pour rappeler à notre peuple, aux tendances si profondément provinciales — soutenait-elle —, son appartenance à un ensemble plus vaste que nous ne pouvions ignorer. Wilfredo, en revanche, s'indignait que nos corégionnaires aient fini par s'identifier à des régions éloignées au point de s'émouvoir de catastrophes naturelles qui nous concernaient moins que celles se produisant sur notre sol, dont nous n'entendions parler que de façon empirique.

L'exécutant au second degré continuait à expliquer à celui qui avait sa glace à manger :

– Tout près d'ici, de l'autre côté de l'estuaire, derrière les clôtures électriques, là où, dès avant la construction de ces dernières, s'entassaient les masures et leurs synonymes — baraquements, bidonvilles, chabolas, favellas, zone…

– Allez droit au fait, s'il vous plaît, demanda le type à la glace. Celle-ci dégoulinait le long de son cornet et les ruisseaux couleur de sang faisaient des taches sur sa main.

– Mangez votre glace, léchez-vous la main et cessez de donner des ordres, lui rappela son propre exécutant.

L'autre poursuivit :

– Là d'où venaient jadis, poussés par la faim et la fureur, des hommes à la recherche de nourriture ou du nécessaire pour s'en procurer, n'hésitant pas, dans leur indigence, à tuer, blesser ou mutiler, là, personne ne sait maintenant si des cadavres ne sont pas en train de pourrir, des squelettes de s'entasser, la barbarie de renaître.

– Moi je ne trouve pas l'idée mauvaise — intervint l'exécutant du type au cornet de glace — ; pendant des siècles, les villes ont grandi au détriment de la campagne ; il est logique que nous assistions aujourd'hui à un mouvement inverse, rétablissant l'équilibre. Derrière les clôtures, les *exclus* peuvent se construire une vie nouvelle, et même incarner l'avenir de la région ; dans l'impossibilité de revenir à la ville ils devront s'en remettre, pour se nourrir, aux ressources de la campagne.

– Vous êtes dans l'erreur ; le nom d'*exclus* s'applique à ceux qui se révoltent ici, dans la remise ; ce sont eux qu'on amène aux ascenseurs, dit soudain le désigné qui lisait, retournant aussitôt, ou feignant de retourner, à sa lecture.

– Dieu veuille qu'ils ne soient qu'exclus ! souffla une voix que je ne pus identifier.

L'exécutant au second degré qui, étant donné l'autorité avec laquelle il parlait, semblait s'être rendu récemment sur la rive voisine, poursuivit :

– Par les fleuves et les rivières, naviguant sur des embarcations de fortune, ils arrivent jusque chez nous... Dans les campagnes où on les a parqués, les terres sont inondées, les fleuves sont devenus tumultueux ; on ne peut rien planter et il y grouille toutes sortes de reptiles, petits et gros, grenouilles, crapauds, couleuvres et habitants du marais... Ils arrivent en radeaux, par centaines...

– Je déteste la framboise — murmura le type au cornet de glace : de toute évidence, le récit qu'il venait d'entendre ne l'avait pas distrait de sa condamnation.

Le désigné qui regardait le film riait maintenant d'une scène comique. On n'entendait pas la voix des acteurs, seulement les sonores éclats de rire du désigné, vers qui tous les yeux se tournèrent. Je ne remarquai qu'à ce moment-là, tressautant au même rythme que le considérable abdomen secoué de rire, un médaillon un peu spécial, identique à celui que j'avais vu au cou du mangeur de glace. Et je me rendis compte que tous les désignés partageaient ce signe distinctif.

CHAPITRE II

Le libre arbitre absolu dont j'avais joui toucha à sa fin quand deux exécutants s'approchèrent de moi pour me faire choisir un des nombreux médaillons, tous identiques, qui se trouvaient dans une corbeille. Je m'avisai, en les examinant, que le cordon fin et solide auxquels ils étaient suspendus était tissé aux couleurs du drapeau qui restait, jusqu'à nouvel ordre, celui de notre région. Ils m'invitèrent à plonger ma main, à en tirer un au hasard et à le mettre à mon cou, moi aussi. J'étais ainsi prête à recevoir les ordres dictés par une voix impersonnelle, qui se déclenchait à partir du moment où les senseurs dont était pourvu le médaillon identifiaient, à proximité, des battements de cœur. Je fus, dès cet instant, flanquée de deux exécutants qui garantissaient l'accomplissement des directives de l'engin, qu'ils appelaient également *dispositif*.

– Je suppose que tout cela a quelque chose à voir avec le hasard, dis-je d'un ton interrogatif.

– Le dispositif, m'expliqua l'exécutante (mon exécutant au second degré était un homme, et ne semblait pas très au courant), capte les gestes que vous faites et même, d'après ce que j'ai entendu dire, certains fonctionnements physiologiques qui révèlent plus ou moins vos intentions. Cela lui fait ordonner différentes choses; le hasard se loge dans l'intervalle entre vos gestes et/ou vos désirs, et les conséquences inconnues qu'ils entraînent.

Je n'y compris pas grand chose, mais pus vérifier que le

médaillon était, en effet, très sensible. Les premiers mots qu'il prononça ne furent pas un ordre mais une information qui, vu les circonstances, sonna comme un pléonasme : « Vous n'êtes pas exécutante ». La femme supposa que le dispositif avait prononcé cette phrase à la suite du geste que j'avais fait avec ma main pour me gratter la nuque. Son hypothèse déclencha chez moi un accès de fou rire qui fit — le temps que cela dura — bégayer l'engin. « Il faut à, il faut à », disait la voix, « il faut à présent faire des ab, des ab, des abdominaux ». Cet ordre me sembla pour le moins sadique, compte tenu de l'état précaire où se trouvaient, après mon fou rire, les muscles concernés. J'obéis, néanmoins ; je ne voulais pas, en ne me pliant pas à des exercices qui ne pouvaient me faire que du bien, risquer d'être emmenée brutalement et Dieu sait où dans les ascenseurs.

Malgré mon intime consentement, ce fut moins facile que je ne l'avais imaginé. Mes muscles n'étaient pas entraînés, mon cœur non plus et, au bout d'une série d'efforts démesurés, je finis par perdre connaissance.

– Ce qui vient de m'arriver, dis-je à mes exécutants en retrouvant mes esprits, n'est pas le fruit du hasard, mais la conséquence d'une cause tout à fait explicable. Un phénomène scientifique, ni plus ni moins.

Ils ne me répondirent pas, penchant en revanche leur tête vers mon dispositif, presque avec douceur, comme les anges d'un certain film, déjà ancien, lorsqu'ils se mettent à l'écoute des pensées des hommes, me vint-il à l'esprit, en pensant à nouveau au récit que je ferais, au retour, à Wilfredo et Marilyn.

La voix qui sortait du médaillon émettait, maintenant, toujours sur le même ton insipide, des instructions de déplacement ; elle m'ordonnait de faire dix pas devant moi, vingt à droite, quinze en diagonale, et ainsi de suite dans toutes les directions, sans obéir à aucune règle apparente ou déchiffrable. Elle voulait me faire aller quelque part, c'était évident — disait l'exécutante —, mais ne parvenait probablement pas à décider où car, malgré ma rigoureuse docilité, nous repassions par les mêmes endroits. Elle fondait son hypothèse de l'hésitation du dispositif sur le temps qui s'écoulait entre une injonction et une autre. Ma façon de rester strictement immobile après avoir exécuté chaque ordre n'était sûrement pas faite pour l'aider — supposaient les deux exécutants — ; je m'efforçais, en effet, d'observer une totale impassibilité, un état quasiment bouddhique, et cela, apparemment, désorientait le médaillon, l'empêchant de m'inventer un « destin ».

Précisons que nous allions et venions dans un rayon limité, par rapport à l'immensité de la remise, mais tout de même assez considérable. À force de déambulations, nous nous mîmes à traîner les pieds ; j'avais mal aux jambes, et me sentais défaillir d'ennui. Je n'osais regarder sur les côtés en me demandant quel supplice ou sort favorable, de ceux qui se trouvaient dans le secteur, pouvait bien me réserver mon médaillon. Le seul fait de regarder — pensais-je — serait interprété comme un acte volontaire, qui m'exposait à une décision de l'engin ; de peur de ce qui risquait de m'arriver, je préférais m'abstenir de tourner la tête, tout en sachant au fond que je ne faisais que reculer, comme on dit, pour mieux sauter.

Or, à la longue, il me parut évident que l'hypothèse de l'hésitation était sans doute fausse, et qu'en m'obligeant à cette activité sans objet, le dispositif me condamnait en fait — condamnation pernicieuse s'il en est — à l'ennui. Je communiquai ces conclusions à mes exécutants et, comme ils ne manifestaient aucun intérêt, de l'air de dire que ce n'était pas leur affaire, je leur fis remarquer que, pendant tout ce temps, leur destin à chacun des deux avait coïncidé avec le mien ; mais ils demeurèrent aussi imperméables à mes observations que s'il s'était agi d'inutiles et ardues divagations philosophiques. Ils bâillaient et se bornaient à surveiller ma stricte obéissance aux ordres.

Je me rendis compte que je pouvais dire n'importe quoi sans entraîner d'effet négatif, à la condition expresse de me conformer aux instructions quant aux pas et aux directions, et j'en profitai pour insulter un peu mes exécutants. Ils me rendirent la monnaie de ma pièce, mais leurs injures, arbitraires et interchangeables, presque enfantines, ne parvenaient pas à me blesser. Distraite par ces agaceries, je commis une erreur dans le nombre de pas, erreur que ne remarquèrent même pas mes exécutants, eux aussi moins attentifs. Le dispositif répéta « Erreur » plusieurs fois, peut-être pour insister, ou parce que quelque chose s'était détraqué dans son mécanisme. En tout cas, qu'il soit si sûr qu'il n'y avait pas eu désobéissance volontaire de ma part me stupéfia, me donnant — à quoi bon le nier? — froid dans le dos.

« Aux piqûres ! », ordonna-t-il soudain.

– Il se prend pour qui, cet engin foireux? protestai-je, indignée ; et j'ajoutai avec témérité : Pas question que je bouge d'ici.

Je n'avais pas envie de me faire inoculer des saloperies.

– Ça ne vaut pas la peine de résister, me conseilla mon exécutante, d'une voix assez douce, si l'on pense aux horreurs que je lui avais dites.

Mon crachat lui ferma l'œil gauche. Je saluai son sang-froid, cependant, en remarquant un groupe de trois corégionnaires, assignés à la répression, qui se rapprochait imperceptiblement de nous, menaçant.

– Avec le hasard on ne sait jamais, poursuivit-elle en s'essuyant la paupière. Cela vaut la peine d'essayer. Si vous résistez, en revanche, il n'y a pas de mystère ; vous savez d'avance le sort qui vous attend, dit-elle, en montrant du menton les ascenseurs.

Je les voyais pour la deuxième fois : et leur hermétisme métallique ne me fournissait aucune réponse.

– Vous voyez comment vous vous emmêlez les pinceaux? répondis-je, pourtant résolue à suivre ses conseils.

– Quels pinceaux? demanda l'homme.

– Vous parlez de hasard et ensuite vous dites « il n'y a pas de mystère », répliquai-je.

– N'insistez pas non plus là-dessus. Ici personne n'a le temps de penser ; on est trop occupé à sauver sa peau.

Je ne voulus pas discuter et me laissai conduire à la zone des piqûres. Arrivés là, mes exécutants s'immobilisèrent sur quelque chose comme le seuil, penchant leur tête faussement angélique vers ma poitrine, dans l'attente de nouveaux ordres du médaillon. Celui-ci restait muet ; au stade où nous en étions, croire que ce silence était dû au fait que tous les fauteuils de relaxation où les désignés recevaient leur injection étaient occupés aurait été par trop simpliste ; à n'en pas douter, le dispositif se taisait pour quelque autre mystérieuse raison.

On inoculait là diverses substances : toxiques, inoffensives, revitalisantes, hallucinogènes... Je jouai de malchance ; après quelques secondes le dispositif énonça : « Au département virus ! »

Je fus prise d'un accès de fureur et bousculai mon exécutante qui prétendait me conduire à la section indiquée ; l'homme n'intervint pas ; il considérait sans doute qu'il n'avait pas à la défendre et que sa fonction se bornait à veiller à ce que l'exécutante au premier degré fasse son devoir. Il se distinguait ainsi des forces répressives qui ne tardèrent pas à arriver, car ma réaction avait poussé à la rébellion quelques clients, y compris parmi ceux qui étaient déjà assis, prêts à recevoir leur piqûre. Il y eut un grand remue-ménage, ampoules et brancards se mirent à valser, tandis que certains s'armaient de seringues pour les planter dans le corps de ceux qui tenaient le rôle de policiers. Mais ces derniers, plus nombreux, matèrent rapidement l'insurrection.

J'eus l'intuition que les choses n'étaient pas si simples que ça, en m'avisant que mon exécutante ne me dénonçait pas ; mais, pour l'instant, j'en déduisis seulement que la chance m'avait souri de ne pas m'être trouvée, moi l'instigatrice, parmi ceux qu'on conduisait aux ascenseurs.

– Bon, et maintenant trêve de bêtises, me dit la femme, déjà sur ses deux pieds et défroissant sa jupe.

Le dispositif venait de dire imperturbablement : « Virus BXA », et je me laissai tomber, résignée à tout, dans le fauteuil indiqué par mon exécutante. L'injection se révéla, de fait, à peu près indolore. La femme m'expliqua — tout en désinfectant avec un coton l'endroit de la piqûre — que j'avais bien fait de renoncer à résister. Elle essaya aussi de me consoler en me faisant miroiter des espoirs à la réalisation improbable ; par exemple, que mon médaillon pourrait bien ordonner une injection d'antidote. Mais en outre — insistait-elle, pour me tranquilliser —, la plupart des virus étaient vieux, n'étaient plus actifs et, le seraient-ils, il n'était pas certain que je tombe malade ; tout dépendait de l'état de mon système immunitaire. Elle ne tenait pas compte — lui répliquai-je — de l'effet placebo inversé : rien que de savoir que ce corps étranger se promenait dans mes veines — lui dis-je — me donnait d'ores et déjà une faiblesse inusitée. Quoi qu'il en soit — disait mon exécutante —, il y avait quelques jours d'incubation et, si le virus était actif, je pouvais contaminer mon entourage, ce qui fait qu'elle-même s'était mise en danger en me l'injectant. Ne trouvais-je pas assez excitants ce doute permanent, ce danger toujours prêt à bondir? me demanda-t-elle d'un ton amical et déconcertant.

Je me dis que Marilyn serait d'accord avec l'exécutante, et une image de Juan de Menda surgit dans ma tête, mais je ne sus si elle venait de ma rétine physique ou de son double imaginaire. Mon objectif initial, celui de le retrouver et de tenter de le ramener à notre table, avait été relégué par d'autres nécessités impérieuses, dictées ou non par les jeux du hasard. De toute façon, le passé était indestructible, comme on n'était pas sans savoir, et il n'existait aucun moyen d'extraire de mon corps le virus — ou son cadavre, en mettant les choses au mieux — ; il s'agissait d'un phénomène irréversible auquel je devrais me résigner. Je me levai du fauteuil, non sur une quelconque injonction du dispositif, mais pour laisser la place à un nouveau candidat à l'inoculation.

Nous avions quitté la zone des piqûres pour nous maintenir dans un secteur neutre, en attendant des ordres. L'exécutante continuait à faire son possible pour me tranquilliser. Mon médaillon n'avait pas pipé mot au seuil de la section des injections — me rappela-t-elle —. Il était probable — supposait-elle — qu'il avait capté mes défenses immunitaires et qu'avec un peu de chance, si l'appareil appartenait à la catégorie des « bons » — ce furent ses paroles — il s'était assuré auparavant que le virus en question n'aurait aucun effet.

J'apprenais donc, au détour de la conversation, que les dispositifs pouvaient être « bons » ou « méchants », mais le temps me manqua pour poursuivre ma réflexion car, de ma poitrine, monta la voix implacable ordonnant : « À la zone des lits ! » Je me demandais où pouvait bien se trouver ce secteur ; jusqu'à cet instant je n'avais vu aucun lit. La zone en question n'était pas bien loin, mais on l'avait installée dans un coin assez intime, délimité par des paravents.

J'arrivai la première et il me fallut attendre, sans trouver, cette fois non plus, et malgré la fatigue qui me faisait chanceler, le courage de m'asseoir sur aucun des lits, pour ne pas avoir ensuite à attribuer à mon acte la responsabilité de ce qui m'arriverait. Ces lits étaient variés, il y en avait de tous les styles, toujours à deux places, certains avec baldaquin, d'autres en fer, d'autres japonais, au ras du sol, d'autres en bois sculpté... Je vis arriver des hommes et des femmes. À un certain moment mon exécutante, se conformant à ce qu'ordonnait mon médaillon, posa sur mes yeux un des bandeaux que j'avais repérés, depuis le début, au-dessus des lits. Il ne me sembla pas prudent de m'y refuser.

Dans cette attente aveugle, je me rendais compte que des gens continuaient à arriver. Les lits étaient nombreux et suffisamment grands. L'exécutante me mena vers celui des *futons* japonais qu'avait désigné mon médaillon. Quelques minutes s'écoulèrent pendant lesquelles, maintenant qu'une partie des dés étaient jetés, je me permis de m'asseoir sur ma couche, les jambes repliées très haut à cause de la proximité du sol ; heureusement, me dis-je, le futon n'était pas des plus durs. Je perçus la présence d'une autre personne et entendis que de son dispositif sortait en même temps que du mien une voix presque identique, qui commença par l'information : « Vous êtes deux » ; puis, déjà fidèles à leurs habitudes, les médaillons ordonnèrent en chœur, sur un ton inhabituel, toutefois, par la jovialité des inflexions : « Et maintenant, faites l'amour ! ».

Il était évident que, malgré nos yeux bandés, nous nous trouverions très vite dans ce périmètre restreint. Nos premiers rapprochements me permirent de savoir que l'autre désigné était un homme. J'ai eu à nouveau de la chance, me dis-je : le parfum qu'il portait me faisait un effet aphrodisiaque. Ce détail m'inclina à penser que ce devait être quelqu'un de soucieux de son apparence physique et attaché à séduire, ce que je trouvais, vu les circonstances, plutôt positif. Mais rien ne s'engageait vraiment et, pour vérifier que ce n'était pas parce que je lui déplaisais que mon compagnon se montrait si hésitant, je palpai son visage à la hauteur des yeux et pus vérifier qu'ils étaient effectivement bandés. Il attendait sans doute des ordres plus précis quant aux préliminaires, pensai-je ; ce qu'on voulait de nous n'était en effet pas très clair ; « faites l'amour » était une consigne bien vague ; nous ne savions pas, par exemple, si nous devions ou non nous dévêtir, ni si nous étions autorisés à parler.

Sans que ce soit très conscient, mes toutes dernières visions de répression dans la zone des piqûres m'avaient beaucoup impressionnée ; mes prétentions de révolte étaient retombées, et ce qui primait, c'étaient la peur et l'instinct de conservation. Les yeux bandés n'y étaient sûrement pas pour rien, d'autant qu'ils rendaient le sens de l'ouïe plus aigu. Je distinguais chacune des strates de son et, tout en haut, des cris de peur ou de douleur et des rafales de mitraillettes, alternant avec des accords de cumbia *, le tout en provenance d'un endroit guère éloigné que je n'avais pas vu auparavant. Beaucoup plus près, dans le registre le plus bas, on entendait des murmures et quelques gémissements, de plaisir semblait-il, tandis que, en montant la gamme, je percevais même des soupirs orgasmiques. Dans les autres lits, certains de nos corégionnaires — c'était indéniable — avaient été plus entreprenants.

Entre le désigné et moi, bien que de façon imperceptible, les choses avaient avancé ; assis face à face, nous nous étions ôté l'un à l'autre les vêtements qui couvraient nos bustes respectifs, où ne restaient que les médaillons. J'avais eu vraiment beaucoup de chance, me repris-je à penser, en palpant sous la peau douce de mon compagnon sa musculature ferme et bien proportionnée ; mais surtout, il avait des mains savantes, qui parcouraient avec une grande sensibilité le contour de mes seins et la turgescence de leur mamelon. Qu'en nous rencontrant, nos bouches soient deux puits tièdes et inépuisables où nous ne cessions de vouloir boire était une chose imprévisible étant donné les circonstances, mais il en fut ainsi. Il s'était produit un miracle, aucun doute à cela. Sans nous lasser, nous recommencions les mêmes gestes, de la taille au visage, toujours assis face à face, avec une chasteté si érotique qu'elle faisait soupirer nos exécutants. Nous hésitions à aller plus loin ; nous ne recevions pas d'ordres mais ils étaient implicites ; nous nous refusions cependant à y subordonner ce que nous avions découvert loin de tous.

J'arrachai mon bandeau et Juan de Menda apparut devant moi, les yeux bandés, le torse nu et le jean gonflé par l'érection. Je ne sus que faire ; nos médaillons étaient toujours silencieux. Autour de moi, certains tentaient maladroitement de s'apparier ; je vis des couples homosexuels et de mini-orgies tâtonnantes, quelques phallus en érection, tuméfiés, et d'autres, la majorité, flasques et indociles. Nos exécutants s'adonnaient à une fervente masturbation, et ne me reprochèrent pas d'avoir enlevé mon bandeau ; il y avait, çà et là, des yeux découverts, mais nous étions les seuls à n'être pas encore passés, à n'avoir pas essayé de passer, à l'étape proprement sexuelle. La vision de Juan de

* Danse populaire d'Amérique du Sud. (N.d.T.)

Menda, torse nu, jean gonflé et yeux bandés, était, à vrai dire, des plus excitantes. Sans lui retirer son bandeau, je lui murmurai à l'oreille qui j'étais, et que je l'avais reconnu. Il ne manifesta aucune surprise, mais ses lèvres esquissèrent un léger sourire.

Au même instant, à quelques lits de nous, des groupes répressifs se saisissaient d'individus des deux sexes qui n'avaient pu, ou voulu, exécuter les ordres ; ils les entraînaient avec violence, vraisemblablement vers les ascenseurs. Les médaillons du couple à notre gauche décrétèrent « Orgasme ! » juste maintenant qu'il était trop tard, que le membre violacé de notre corégionnaire, que j'avais vu si arrogant voici à peine quelques secondes, avait complètement désenflé, affecté sans doute par les interventions brutales à quelques lits de distance. La femme, en revanche, se mit à faire onduler son corps ; prenant appui sur les talons, elle avançait et reculait ses hanches, réalisant en même temps un mouvement rotatif au rythme de plus en plus rapide, jusqu'à réussir à exhaler un son très semblable à celui provoqué par l'orgasme, sans que l'on pût savoir exactement si c'en était un pour de bon. Ses agissements provoquèrent chez son compagnon une semi-érection qu'il s'appliquait manuellement à parachever, à présent, pour se mettre en conditions d'obéir à l'injonction du dispositif, mais il ne faisait pas de doute que les actions répressives, en augmentation et de plus en plus proches, ne favorisaient guère sa concentration.

Nos médaillons restaient, pour l'instant, silencieux. Juan de Menda n'avait pas retiré son bandeau pour me regarder et ne disait mot, appliqué avec une ferveur redoublée à plonger sa langue dans ma bouche et à poursuivre ses subtiles caresses ininterrompues. Les exécutants du désigné à notre gauche, qui s'étaient sans doute pris d'affection pour ce dernier, s'efforçaient maintenant, afin de le protéger et d'éviter l'action sans pitié des forces de l'ordre, d'extraire, pour ainsi dire, tout le suc de ces prolongations et de le faire parvenir à l'orgasme programmé, l'un en le gratifiant de caresses trop intimes et obscènes pour être explicitement décrites, l'autre en se lançant dans une tentative de fellation que le piteux état du membre rendait, cela va sans dire, quelque peu pathétique. Ils avaient compté pour rien les préférences hétérosexuelles du désigné, que ces interventions masculines, de toute évidence, refroidissaient complètement. Nos médaillons venaient de prononcer simultanément le mot de « Pénétration », qu'ils répétaient toutes les dix secondes sur le ton de robot qui caractérisait les dispositifs.

« *Fuck them, fuck them* », murmurait Juan de Menda dans mon oreille, refusant ostensiblement d'obéir, malgré son érection que je m'étais mise, depuis quelques minutes, à palper à travers la rude toile de son jean. Nos exécutants nous regardaient avec une insatisfaction d'onanisme non abouti, dont j'eus l'impression qu'ils nous rendaient responsables.

Les exécutants du lit d'à côté payèrent cher leur solidarité avec leur désigné ; les clients-répresseurs les emmenèrent tous à coups de crosse, à l'exception de la femme, qui s'était montrée coopérative. Il était évident que les répresseurs reviendraient et que nous serions leurs prochaines victimes, mais Juan de Menda, au péril de sa vie, parcourait maintenant de sa langue une de mes oreilles, ne s'interrompant que pour répéter « *Fuck them* », sur un ton sensuel, comme d'invite amoureuse, en même temps que, soutenant de ses paumes mes deux seins, il en excitait les mamelons érectiles très doucement, entre l'index et le majeur. Mes doigts admiratifs, de leur côté, palpaient dans toute son extension, toujours par-dessus le jean, le gonflement du membre paroxystique. Nos respirations adoptaient le même rythme anarchique, scandé par le battement démesuré de nos cœurs. « Pénétration », prononçaient encore et toujours les médaillons, et moi de me joindre à Juan de Menda pour répéter « *Fuck them* », très doucement, à son oreille, dans les pauses entre les baisers.

Notre tour arriva, comme prévu. Juan de Menda résista pour le principe, parvenant, malgré tout, à renverser un de ses répresseurs, ce qui ne manqua pas d'exacerber la fureur de ce dernier. Son bandeau avait glissé et le sang ruisselait d'un de ses sourcils jusque sur sa poitrine, tachant son médaillon, tandis qu'on l'entraînait à coups de crosse, et ses exécutants avec lui. « *I love you* », cria-t-il dans ma direction, épuisant ainsi, je suppose, toute sa connaissance de la langue anglaise qui jamais, soit dit en passant, ne me parut aussi caressante.

Mon corps fut secoué de sanglots spasmodiques. Mes exécutants, dans un maternel élan de compassion, repêchèrent mes vêtements et m'en couvrirent le buste, mais je sentais chez eux, surtout chez la femme, une pointe d'irritation.

– Si vous aviez obéi on ne l'aurait pas emmené, me dit-elle. Vous avez trouvé l'amour de votre vie et vous l'avez perdu à jamais. Faut-il être imbécile !

Il était au-dessus de mes forces de lui répondre.

– Sa mort n'a rien de certain, intervint une voix sur ma gauche, cherchant à me consoler.

C'était la femme à l'orgasme provoqué, simulé ou non. Ses exécutants hochèrent la tête, comme pour l'approuver.

– Vous le retrouverez, dit l'un d'eux. Ne vous en faites donc pas.

Nous savons tous combien, dans ce genre de circonstances et jusqu'à l'évidence de la mort, peut être aveugle et têtue la confiance en la vie, tout improbable que soit celle-ci. J'étais partie à la recherche de Juan de Menda, et me retrouvais dans la même situation qu'au début. Rien ne changeait beaucoup extérieurement ; mais le moteur de ma quête était devenu, intérieurement, tout autre.

Nous étions nombreux à rester, parmi ceux qui avaient échappé à la répression, assis sur notre lit, pensifs et épuisés, dans l'attente et la crainte des ordres à venir.

– Tout cela est absurde, dis-je soudain. Unissons nos forces pour sortir d'ici.

– Sortir d'ici pour aller où ? demanda mon exécutante. Y a-t-il donc des endroits plus accueillants ? N'est-ce pas toujours partout la même chose ?

– Non, ce n'était pas toujours la même chose, bien sûr que non, répondit à ma place la femme à l'orgasme. Elle ne comprenait pas comment on pouvait dire ça, s'indignait-elle. Moi, qui avais lancé la proposition, je m'étais retirée du débat ; dans ma tête embrumée régnait la confusion. Le dialogue des deux femmes me parvenait comme de très loin.

– Vous qui entrez ici, perdez tout espoir d'en sortir, dit un des exécutants de l'assignée à l'orgasme, s'adressant à moi, et me tirant un peu de mon apathie.

J'eus l'impression qu'il se délectait de son affirmation dantesque.

– Pas du tout, dit l'autre, les gens se renouvellent constamment.

Ils se renouvelaient parce qu'il y en avait de nouveaux qui arrivaient, répliqua le premier, mais les autres disparaissaient peu à peu, soit parce qu'ils succombaient à l'une ou l'autre des expériences, soit parce qu'on les laissait sans manger, ou bien parce qu'ils se révoltaient à un moment donné, ou encore parce que, comme cela venait de se passer dans cette zone même, ils n'étaient pas capables d'exécuter les ordres. Les médaillons pouvaient aussi, théoriquement, ordonner la sortie mais, de toutes les personnes avec lesquelles il s'était entretenu, aucune ne savait où celle-ci se trouvait; beaucoup étaient ici depuis plusieurs jours. On parlait de semaines pour certains, et même de mois.

– On n'a pas le droit de se plaindre, conclut-il; aussi bien, personne n'est entré ici par force.

– Tout le monde a été trompé, répliqua l'autre, ou s'est fait des illusions. Personne ne pouvait imaginer ça.

Puis une discussion s'engagea, entre ceux qui étaient toujours là à attendre de nouveaux ordres, sur la nature des médaillons. Un des présents soutenait qu'il y en avait de trois sortes, les « bons », les « méchants » et les « ambivalents », et d'autres disaient qu'il était impossible d'établir ce genre de critère, puisqu'on ne pouvait juger qu'a posteriori du bénéfice ou du préjudice entraînés par tel ou tel ordre. « Les apparences sont trompeuses et à quelque chose malheur est bon », entendis-je répéter ici et là. Le type revint à la charge, cependant : la méconnaissance de la nature exacte des médaillons n'empêchait pas celle-ci d'exister, d'une façon ou d'une autre. Un nouvel intervenant, plutôt d'accord avec lui, affirma que les médaillons n'étaient pas « bons », « méchants » ou « ambivalents » une fois pour toutes, mais qu'ils pouvaient changer en cours de route suivant l'influence des ondes cosmiques, auxquelles ils étaient sensibles.

Ces derniers mots, sans doute perçus comme trop ésotériques, soulevèrent une vague d'exclamations sceptiques, mais de courte durée, suivie d'un silence également bref. On voyait que les gens avaient pris goût à la conversation : ils s'étaient maintenant mis à débattre du hasard et du destin. D'après les opinions défendues, on pouvait distinguer trois groupes. Le premier était composé de ceux qui pensaient que les deux notions se recoupaient, que le hasard était l'arme du destin. Le deuxième, de ceux qui soutenaient que hasard et destin étaient antagonistes, car c'étaient des forces opposées; le destin devait en permanence lutter contre le hasard pour pouvoir se réaliser, disaient-ils. Ceux du troisième groupe mettaient hasard et destin dans le même sac, comme ceux du premier groupe, mais c'était pour nier, à l'un comme à l'autre, toute existence.

Ils choisissaient tous, pour illustrer leurs convictions, ce qui s'était passé entre Juan de Menda et moi. Pour ceux du premier groupe, j'avais trouvé *l'amour de ma vie* par hasard et pour obéir à mon destin qui comprenait, contrairement à d'autres personnes moins fortunées, cette « clef de voûte du bonheur », affirmaient-ils ; certains me regardaient avec envie, d'autres avec admiration, et sur le visage de beaucoup affleuraient tout à tour les deux sentiments. Ceux du deuxième groupe me considéraient un peu de la même façon : d'après eux, le destin avait dû surmonter divers obstacles du hasard pour que notre rencontre à tous deux ait enfin lieu ; si, pour le moment, le hasard qui nous avait jusque là séparés était à nouveau triomphant, le destin s'apprêtait, néanmoins, à contre-attaquer ; je ne devais pas perdre confiance, en profitaient-ils pour me consoler. Quant à ceux du troisième groupe, leur visage reflétait une sorte de résignation scientifique ; le destin n'existait pas a priori, nous le fabriquions au fur et à mesure, et le hasard n'était qu'un signe nous rappelant, de façon permanente, la vision nécessairement partielle et limitée que nous avions des événements. C'étaient les plus éclairés, car les plus rationnels et les plus modernes. Mais si mon intellect me faisait pencher de leur côté, je trouvais leur croyance sans croyance, en fin de compte, insipide et démoralisante.

« À la roulette russe ! », dit soudain mon médaillon.

Mes exécutants durent me pousser en avant, car j'avais décidé de ne plus obéir à aucun ordre, seule façon d'être loyale à Juan de Menda, et peut-être aussi de nous retrouver ensemble dans un ascenseur, ou un quelconque cachot, sinon un caveau. Ils eurent un certain mal à me faire avancer car, par attachement pour moi ou toute autre raison, ils s'efforçaient de dissimuler ma résistance pour ne pas m'exposer aux représailles. Peut-être, supposai-je, voulaient-ils voir comment finissait cette histoire d'amour dont j'étais l'héroïne, et faisaient-ils donc leur possible pour me conserver en vie ou, du moins, m'empêcher de disparaître à leurs yeux en étant traînée aux ascenseurs.

Et moi, au contraire, je voulais convoquer le danger ; je me disais que si j'attirais l'attention des répresseurs, j'aurais plus de chances de retrouver Juan de Menda. Je me mis à vociférer :

– Qu'on me serve un petit crème. Nous sommes dans un café, non ? Au Grand Café. Un petit crème, s'il vous plaît, avec un croissant. Jambon-fromage, le croissant.

– C'est parti, mon kiki ! dit mon exécutante, le virus BXA commence à faire son effet.

Je me sentais un peu bizarre, il est vrai, mais si c'était ça, l'effet du virus, je n'y voyais pas d'inconvénient. Depuis mon adolescence, j'avais toujours eu un faible, au contraire, pour les audacieux. De toute façon, ma théorie était plutôt qu'il s'agissait d'une espèce d'ivresse, provoquée à la fois par ma rencontre avec Juan de Menda et par la faiblesse consécutive à l'absence d'ingestion de tout aliment solide ou liquide depuis plusieurs heures. J'étais, comme on dit, au-delà de la faim, aussi ma demande de croissant fourré n'avait-elle de valeur qu'ironique. Mais ma soif, elle, commençait à être vraiment insupportable.

– Il faudrait au moins lui trouver de l'eau, dit mon exécutant.

– Nous trouver, tu veux dire, rétorqua la femme.

Les gourdes qu'ils portaient étaient vides, en effet : l'exécutante déboucha la sienne et l'approcha de mes lèvres, mais il n'en sortit qu'une infime gorgée ; et seules deux ou trois gouttes perlèrent à celle de l'homme. Ce dernier joua de malchance : son geste altruiste et interdit fut remarqué par des clients assignés à la répression, qui se jetèrent sur lui, le renversèrent, pour changer, à coups de crosse, et l'entraînèrent comme à l'accoutumée. Un répresseur resta avec nous.

– Il ne vous est rien arrivé, à vous, précisa-t-il à la femme, parce que vous êtes exécutante au premier degré. Mais maintenant que vous êtes seule, tenez-vous-le pour dit : si votre désignée a besoin d'eau, il faut appeler l'un d'entre nous. Tout le reste est strictement interdit.

Le client-répresseur avait un bidon dont il me fit, d'abord, boire une eau au goût de fer, avant d'en remplir la gourde de mon exécutante.

Les mesures répressives, visiblement, avaient pris de l'ampleur, comme le prouvait l'impossibilité où ils étaient de nous assigner un autre exécutant au second degré ; on aurait dit, en tout cas, que le taux d'épuration de rebelles était plus fort que celui d'arrivée de nouveaux clients. Mais ces mesures étaient aussi le signe que de plus en plus d'exécutants se prenaient de pitié pour leur désigné ou se solidarisaient avec lui dans une même révolte. Il est vrai qu'en matière de répression les « autorités » avaient exagéré ; elles s'exposaient par exemple, dans mon cas, à une situation épineuse ; mon exécutante au premier degré manquait désormais de renfort. Le virus BXA ne semblait pas très actif, puisque je n'eus pas l'audace de renouveler ma demande de croissant et de café-crème, face à la crosse menaçante du répresseur.

« À la roulette russe ! », répéta mon médaillon, et nous nous mîmes en chemin avec docilité, sous le regard vigilant de l'homme armé.

Depuis notre sortie de la zone des lits, nous n'avions guère avancé ; ce secteur avait reçu un nouveau contingent de personnes sommées de faire l'amour avec des inconnus que les paravents m'empêchaient de voir, mais dont me parvenaient, simulés ou non, des soupirs de plus en plus étouffés par les détonations qui retentissaient à intervalles réguliers, et vers lesquelles nous nous dirigions avec difficulté, vu mon opposition croissante.

Je désirais vivre pour retrouver Juan de Menda, bien entendu ; et me refusais à mourir en victime d'une stupide roulette russe. Mon exécutante me comprenait ; elle non plus n'avait pas envie de me voir mourir — m'avoua-t-elle —, mais résister au médaillon représentait un danger beaucoup plus grand. Elle ne pouvait, par ailleurs, se risquer à être ma complice, ce serait nous condamner toutes les deux. Je la taxai intérieurement de pusillanimité, mais sans le lui dire ; j'avais dans l'idée que je pourrais bien, avec habileté, arriver à la circonvenir.

Sous le prétexte du virus, je feignis plusieurs fois de m'évanouir ; peut-être ainsi, pensai-je, m'enverrait-on dans une infirmerie ou quelque chose du même genre. Mais ma ruse restait sans effet ; les clients de toutes catégories passaient à côté de nous sans s'arrêter, avec cette indifférence propre aux habitants des grandes villes. Le trajet s'allongeait, certes, et nous retardions notre arrivée au lieu en question ; c'était là le seul bénéfice que j'en tirais : repousser l'échéance.

Je pris la décision, cependant, d'abandonner ce subterfuge : pour me ranimer, mon exécutante m'administrait des gifles par trop violentes et douloureuses. Je choisis alors de simuler une crise d'épilepsie. Les tortillements convulsifs de rigueur, au ras du sol, me permettraient d'user de mes forces pour me défendre, au moins contre mon exécutante solitaire ; je pourrais lui décocher ruades et coups de poing quand elle s'approcherait pour me maîtriser.

Au début, tout se déroula selon mes prévisions et je pus, deux ou trois fois, me venger bassement de ses torgnoles en lui assénant de méchants coups des bras et des jambes ; il me fallut en remettre, car je ne parvenais toujours pas, avec l'alibi de l'épilepsie, à capter l'attention de ceux qui passaient par là. Mon exécutante avait décidé de ne pas intervenir, pour se dérober à mes agressions, et d'attendre la fin de ma crise. Comportement à haut risque, comme on put bientôt le constater. Remarquant son inactivité, un des répresseurs s'approcha de nous. Sans écouter ce que lui disait la femme, qui tentait de se disculper (« vous voyez là l'effet du virus BXA, je suis restée seule, sans exécutant au second degré, et je ne peux la maîtriser, etc... »), et la bâillonnant d'une main, tout en me saisissant à bras le corps pour pouvoir coller son oreille à mon médaillon, il nous mena toutes les deux, manu militari, au secteur de la roulette russe. Il ne nous y avait pas plus tôt laissées que j'entendis mon exécutante me déclarer, solidaire, en employant la première personne du pluriel, que nous avions été vernies de tomber sur un répresseur aussi indulgent.

À l'entrée de la *roulette russe*, comme on l'appelait, chaque désigné devait tirer un petit papier et, selon le résultat, prendre place dans l'une des deux files : celle des tireurs et celle des exécutables. Je refusai tout net, au nom de ma cohérence, mais mon exécutante en tira un à ma place. Elle me tendit avec contrition un E d'*exécutable*, qui, moi, me réjouit ; je préférais être blessée, et même tuée, plutôt que d'avoir un assassinat sur la conscience.

Les désignés-tireurs avaient les yeux bandés. Les exécutants étaient chargés, d'une part, de les empêcher de dévier leur arme vers le haut ou le bas, d'autre part, de placer les exécutables debout, les chevilles entravées par des bracelets vissés au poteau d'exécution ensanglanté, auquel ils étaient ligotés par des courroies. Après ces opérations de mise en place et d'immobilisation des exécutables par les exécutants, les tireurs étaient introduits trois par trois, leur bandeau sur les yeux, dans une espèce de couloir délimité par des barrières, qui faisait face au mur de bois des exécutions, l'un et l'autre d'une centaine de mètres. Placés derrière eux, de l'autre côté de la barrière, se trouvaient leurs exécutants respectifs. Dès l'entrée des tireurs dans le couloir on entendait jouer une sorte de cumbia, qui durait très peu ; quand la musique s'interrompait, les désignés devaient s'arrêter là où ils étaient, et tirer.

En attendant mon tour, j'entendis, dans la queue, dire qu'il y avait très peu de morts, car il était rare qu'un tir unique, même s'il touchait son but, soit mortel. En revanche, affirmait-on aussi, on comptait toujours pas mal de blessés, presque la même quantité que de gens indemnes ; et, selon la nature de la blessure, ceux-là étaient ou non exécutés définitivement. Voilà qui expliquait ces bruits de mitraillette pas très éloignés, et que je me rappelais avoir entendus, en effet, de la zone des lits ; ils devaient achever ensemble tous les blessés.

Je ne voulais pas savoir, maintenant, lesquels, de ceux qui me précédaient et passaient au poteau d'exécution, étaient blessés, tués, ou s'en sortaient indemnes. En entendant résonner, à intervalles plus ou moins réguliers, la musique suivie des détonations presque simultanées, j'enviais les tireurs pour une unique raison : celle de pouvoir faire la queue comme des somnambules, aveuglés par leur bandeau. Je m'avisai soudain, en les regardant, que l'un d'eux, au bandeau presque semblable à celui qu'il portait précédemment, et plus ou moins à ma hauteur, était, incroyablement, Juan de Menda. Mon exécutante, aussi abasourdie que moi, me le confirma. Nous étions éloignés de plusieurs mètres mais le doute était impossible, et, au fur et à mesure que nous nous rapprochions du mur des exécutions, il était clair qu'il serait mon tireur. Mon accompagnatrice me poussait à lui faire savoir que j'étais là, que nous étions à nouveau réunis, bien que dans des circonstances plutôt défavorables. Mais je n'arrivais pas à me décider, et ce n'était pas seulement parce que nous étions entourés d'un nombre particulièrement élevé de répresseurs, armés jusqu'aux dents, prêts à punir toute transgression. Je ne compris ma réticence que lorsque mon exécutante, faisant preuve à mon égard d'une abnégation qui ne fut pas sans m'émouvoir — à quoi bon le nier? —, s'approcha de Juan de Menda, en déjouant la vigilance des répresseurs, et lui signala ma présence.

– Vous êtes sur le point de tirer sur la personne avec laquelle vous vous êtes trouvé dans la zone des lits ; l'amour de votre vie, dut-elle lui dire en substance.

J'entendis clairement, en revanche, la réponse qu'il lui fit, comme l'entendirent tous ceux qui se trouvaient à proximité.

– « *Fuck you !* », dit Juan de Menda, mettant en péril par ce cri mon exécutante, qui courut me rejoindre avant que les répresseurs ne se soient rendu compte de ce qui l'avait provoqué.

À y bien réfléchir, je ne voyais pas clairement ce qu'elle se proposait en allant parler à Juan de Menda ; prétendre le voir se révolter dans les circonstances présentes était tout simplement insensé. Il était évident que notre visiteur avait été contraint d'abdiquer et qu'il était là à se plier aux ordres, comme tout un chacun. Son injure, néanmoins, montrait qu'il n'avait pas perdu toute faculté de rébellion ; ne pouvant la voir, Juan de Menda avait dû supposer que c'était une femme-répresseur qui lui parlait, puisque mon exécutante avait fait l'erreur de ne pas préciser sa fonction. Il était incroyable de pouvoir penser tout cela, quelques secondes avant de passer au poteau en attendant le coup de feu de Juan de Menda, mais il en fut ainsi.

Tout se passa très vite, c'est-à-dire rien : si je perçus des détonations, je n'entendis pas la moindre balle siffler à mes oreilles. Avec la complicité de ses exécutants, sans doute, Juan de Menda avait feint de tirer, sans le faire vraiment. Quand ma corégionnaire me libéra de mes liens, je rouvris les yeux, mais on avait déjà emmené notre invité et les deux autres tireurs ; l'un d'eux avait blessé à la jambe un exécutable qui, stoïquement, se plaignait à peine.

Un certain espoir renaissait — me dit mon exécutante —. Juan de Menda était dans le coin, on ne l'avait pas tué ; à la moindre occasion, peut-être plus propice, nous nous reverrions.

Je m'efforçais de partager son optimisme, sans y parvenir tout à fait, lorsque mon médaillon laissa tomber : « Au salon de beauté ! »

– Le sort te sourit à nouveau, dit mon exécutante, en me tutoyant soudain.

Au bout du compte, je venais de frôler la mort, et j'étais toujours vivante. Ce n'était pas rien. Mais l'expérience m'avait laissée toute tremblante ; mes jambes étaient des chiffons incapables de me porter. À grand-peine, cependant, je finis par arriver à l'endroit désigné.

Aux abords du « salon de beauté », une jeune fille qui en sortait, flanquée de ses exécutants, me souhaita bonne chance, à ma grande surprise — l'amabilité entre corégionnaires n'était pas en ce lieu monnaie courante —, en précisant : « De la chirurgie esthétique, par exemple ». Voilà qui manque de tact, me dis-je, mais sans m'en formaliser, assez satisfaite, au fond, de la combinaison génétique qui avait programmé mes traits.

– Cela ne m'intéresse pas, lui répondis-je sans agressivité. Et puis, je n'ai pas l'intention de croupir ici.

– Ne vous faites pas d'illusions, rétorqua-t-elle, et n'oubliez pas qu'en vous hospitalisant, on vous donnera au moins à manger.

Si je ne parvenais pas à quitter cet endroit, la jeune fille pourrait finir par avoir raison ; mais, pour l'heure, je n'avais pas envie de changer de visage.

– Vous n'avez pas de souci à vous faire, me tranquillisa-t-elle, on ne tombe pas sur la chirurgie à tous les coups.

La salle d'attente était assez vaste, avec plusieurs portes. Dans un coin, quelques personnes faisaient la queue devant un distributeur d'eau fraîche. Comme à Las Vegas, l'enseigne « Chirurgie esthétique » brillait de toutes ses lumières de couleur intermittentes au-dessus d'une des entrées. Tout autour, le mur était couvert d'affiches où s'étalait l'invariable sourire artificiel de divers corégionnaires anonymes de l'un ou l'autre sexe, avec des slogans du genre : « Modelez vos traits », « Effacez vos défauts », « Ayez enfin le visage de vos rêves », « Devenez le sosie de votre acteur ou actrice préférés », « Vous pouvez, vous aussi, avoir un corps sculptural », etc... Les enseignes au-dessus des autres portes annonçaient : épilation, traitement de la cellulite, liposuccion abdominale, nettoyage de peau, traitement des cheveux et du cuir chevelu, réduction de la vasodilatation faciale, massages.

Les médaillons — étaient en train de dire quelques-unes des très nombreuses personnes qui attendaient là — en savent long sur nous ; beaucoup plus que nous ne l'imaginons. M'approchant du groupe pour mieux entendre, mais sans me faire remarquer, car je ne voulais pas participer à la discussion, je vis, parmi les gens qui partageaient cette opinion, certains manifester de l'admiration, d'autres de la crainte. Leur hypothèse était fondée sur le fait que les médaillons ne se trompaient pas, et, par exemple, n'ordonnaient jamais à un homme de se diriger vers l'épilation ou le traitement de la cellulite. Et l'on voyait bien en effet qu'il y avait dans ce salon moins d'hommes que de femmes ; trois dixièmes de moins à peu près, dit un client chauve, ce qui correspondait, d'après lui, aux catégories de soins exclusivement réservés à la gent féminine.

– Les médaillons sont pourvus de senseurs de toute espèce, non seulement d'yeux minuscules mais puissants, capables de voir les points noirs ou la calvitie de leur... — là l'homme hésita ; il écarta le terme de « désigné » et ne sut s'il fallait dire « maître » ou « client », ou encore « esclave », comme quelqu'un le lui proposa vainement — ...« hôte », dit-il enfin, mais aussi d'autres dispositifs capables de détecter, au seul contact du corps et d'après le rythme cardiaque, la présence de cellulite ou de toute autre imperfection.

– Bien entendu, affirma-t-il encore, leur compétence s'étend à d'autres domaines, comme ceux de la pensée, du sentiment et de la mémoire. Ils connaissent notre passé et savent ce qui nous convient, conclut le client.

Cette affirmation souleva une vague de protestations, guère véhémentes au demeurant, car il était indéniable que nous tous ici présents avions été favorisés par les dispositifs : le salon de beauté était une assignation clémente. La seule présence d'un distributeur d'eau fraîche en était la meilleure preuve.

L'homme prit un exemple : d'après lui, les spécialistes du salon de beauté avaient été désignés par les médaillons en fonction de leurs compétences et/ou de leurs capacités manifestes ou latentes ; ils étaient à pied d'œuvre depuis quelques jours, au moins ; les dispositifs ne leur avaient pas enjoint une multiplicité d'activités, comme à d'autres. (Comme à moi, pensais-je, me sentant quelque peu inutile.) Tout était prévu et bien organisé, affirmait-il.

– Même s'il nous arrive de protester, reprit le client, notre médaillon sait ce qu'il fait et dispose d'informations que nous autres ignorons ; le sens de tout cela ne nous apparaîtra que plus tard ; limité est notre esprit ; montrons-nous modestes et obéissons aux ordres, faisons confiance à cette sagesse. Car nous sommes conviés et non maîtres de maison.

Ceux qui avaient protesté un peu plus tôt demeurèrent pensifs. Ils ne se remirent à parler que lorsque le chauve fut invité par son médaillon à se rendre à la salle de traitement de la vasodilatation faciale. Mais auparavant fusèrent quelques rires triomphants, vu que le notre homme ne semblait souffrir d'aucune espèce de couperose.

– Je sais, je sais, dit-il d'un ton méprisant : un esprit humain aurait choisi la salle de traitement capillaire.

Et il se dirigea d'un pas confiant et arrogant vers la porte désignée.

« Dieu vous protège », entendis-je un client murmurer sur son passage, sans savoir si l'intention était aimable ou ironique.

Quelqu'un dit alors que le médaillon avait sélectionné un des deux sens du mot « capillaire », mais pas le bon ; beaucoup le regardèrent sans comprendre. Il expliqua que « capillaire » renvoyait aussi bien aux cheveux qu'aux très fins vaisseaux unissant les artères aux veines.

– Des vaisseaux ? s'étonna un adolescent qui mâchait du chewing-gum.

Mais au lieu de lui répondre, l'homme déclara, comme s'il répliquait à retardement au client chauve maintenant absent :

– Non, le sens de tout cela ne nous apparaîtra jamais.

La discussion rebondit pour tenter d'élucider l'origine des médaillons : étaient-ils de fabrication nationale ? pourquoi n'en avait-on jamais parlé ? Nous étions des souris de laboratoire, dit quelqu'un, des têtes de linottes prises au mirage du Grand Café ; on se servait de nous pour perfectionner les médaillons et pouvoir les commercialiser, ajouta-t-il. La théorie d'un autre, pourtant, recueillit plus de suffrages : à son avis, on expérimentait un nouveau système d'organisation sociale ; devant la croissance démographique, la pénurie et l'épuisement des ressources terrestres, le libre arbitre représentait un danger. Comme il en va toujours avec les lieux communs et les explications toutes faites, beaucoup manifestèrent leur accord. Même moi, en dépit de tant de mystères et de questions sans réponse.

Soudain, le médaillon d'une cliente lui enjoignit : « À la chirurgie esthétique ! » Il s'éleva une exclamation mal contenue et on la félicita chaudement, encore qu'elle ne soit pas particulièrement laide, surtout maintenant que la joie de la bonne nouvelle détendait ses traits. On l'embrassa et on la cajola sans même la connaître. Je supposai qu'on l'imaginait déjà avec le visage des plus belles actrices, devenue une célébrité. D'avance, ils étaient fiers de l'avoir connue, pensai-je ; sinon, comment comprendre qu'ils se réjouissent de perdre eux-mêmes une possibilité ? La salle de chirurgie esthétique resterait, en effet — d'après mes déductions —, indisponible pour quelques heures.

– Il n'est pas sûr qu'on lui fasse le visage de son choix, dit l'un, quand la cliente s'éloigna, et les autres le regardèrent comme un trouble-fête. Ce qui ne l'empêcha pas d'insister :

– Il y a bien un catalogue, mais ensuite, le moment venu, fort peu de modèles sont disponibles.

Personne ne répondit ; la conversation semblait tarie et je m'approchai de la porte de la salle de chirurgie esthétique pour consulter, par curiosité, le catalogue à la disposition de tous, retenu par une chaînette à une petite table. Mon exécutante me suivit telle une fidèle servante.

La liste des visages était divisée en deux parties : celle des femmes et celle des hommes. La partie femmes comportait des photos d'actrices célèbres avec l'indication de leur nom en regard, ainsi que celles de femmes très belles, avec la mention « anonyme » ; les unes et les autres étaient assorties d'une étiquette indiquant « disponible » ou « momentanément indisponible », cette dernière légende étant la plus fréquente pour les photos des actrices. Le trouble-fête avait raison, pensai-je.

Au milieu du catalogue « visages » étaient insérées deux liasses de feuilles glissées chacune dans une chemise en plastique ; le contrat, d'abord, très compact, tapé en caractères minuscules. Je lus quelques clauses. L'une d'elles spécifiait que la clinique ne garantissait qu'une simple ressemblance avec le modèle choisi. Compte tenu, disait-on, de la nature hautement subjective de la notion de ressemblance, on utilisera le critère suivant : si, sur cent personnes choisies au hasard, quarante reconnaissent une similitude avec le modèle en question, il ne pourra être intenté de procès à l'équipe chirurgicale. Le jour et l'heure de la confrontation seront irrévocables ; l'absence du client aura valeur d'approbation, sans conteste, de l'effet de ressemblance recherché. Puis étaient décrites les modalités de la confrontation. À côté du patient opéré seraient placées trois photos, dont celle choisie comme modèle ; chacune des cent personnes devait dire à laquelle des trois ressemblait le plus le client. Était exclu de cette confrontation, spécifiait le contrat, tout membre de la famille du patient. Au bas de la page, un espace, réduit mais suffisant, était destiné à la signature des deux parties.

La seconde liasse illustrait l'habileté de l'équipe chirurgicale. Afin de contredire le dicton selon lequel « les cordonniers sont les plus mal chaussés », les deux hommes et les deux femmes constituant l'équipe arboraient des traits harmonieux et quatre nez rigoureusement identiques. Puis venaient des photos de patients à côté desquelles était collée, pour chacun, celle du modèle choisi. Certaines me semblaient très ressemblantes, d'autres vaguement, d'autres, enfin, absolument pas. Il en allait de même pour mon exécutante, mais notre appréciation était radicalement différente suivant les cas. Cela me mit de mauvaise humeur ; nous avions devant chaque photo un avis opposé, et j'étais incapable de comprendre pourquoi ; j'eus l'impression qu'elle faisait exprès de me contredire. Je changeai d'opinion en voyant, après l'avoir vertement reprise, dans mon irritation, monter à ses yeux des larmes qu'elle tenta en vain de faire passer pour une réaction allergique.

– Il ne faut pas vous mettre dans ces états, voyons ! lui dis-je en lui tapotant l'épaule.

Elle pleurait maintenant à chaudes larmes, malgré ses efforts démesurés pour les retenir. Il n'y avait aucun mouchoir en vue, et l'exécutante ravalait ses mucosités à la dérobée. L'incident ne passa pas inaperçu, et quelques corégionnaires du salon s'approchèrent de nous. Entre-temps, l'exécutante et moi nous étions réconciliées ; notre consensus était bien plus grand sur les visages d'hommes, en nombre plus réduit. Et, calmée, elle souriait sous son nez rougi et un peu enflé.

L'attitude de mon exécutante et l'évolution de nos rapports ne laissaient de me déconcerter. J'étais celle qu'on surveillait, et me trouvais donc sous sa dépendance ; et voilà que c'était moi qui devais veiller à son bien-être, en évitant de blesser une sensibilité à fleur de peau. Ses réactions émotives ne cadraient pas avec sa fonction, provoquant du même coup, chez moi, des attitudes décalées. Cette situation, à vrai dire, était loin de me déplaire, peut-être parce qu'elle s'écartait de ce qu'on attendait de nous, même si je n'avais aucune idée de ce que cela pouvait être.

Au détour d'une page apparut inopinément, et cela nous laissa sans voix, une double photo de Juan de Menda. Si je dis « double », c'est que, dans ce cas, la ressemblance ne faisait pas l'ombre d'un doute ; mon exécutante et moi étions d'accord sans réticence, mais seuls nos yeux exorbités le manifestaient clairement, atteintes que nous étions par une même paralysie momentanée des cordes vocales. L'exécutante fut la première à rompre le silence, en disant d'une voix un peu étouffée :

– Je t'avais bien dit que tu le retrouverais.

Avant de passer le catalogue aux clients qui s'étaient approchés, je voulus vérifier quelque chose et feuilletai à la hâte la seconde partie, celle des modèles de visages pour hommes. Non seulement on y retrouvait la photo de Juan de Menda avec la légende « anonyme », mais les autres modèles proposés, ceux d'acteurs célèbres, portaient la mention « indisponible ».

– Comment savoir lequel est réellement Juan de Menda? murmurai-je, en pensant à celui du lit et à celui de la roulette russe. Peut-être l'un l'était-il ; peut-être aucun, à moins que tous deux fussent la même personne, mais, sous quelle identité? Après cette découverte, tous les doutes étaient permis.

Mes paroles furent étouffées par les exclamations de ceux qui nous succédaient et s'emparaient déjà du catalogue ouvert à la page portant la photo de Juan de Menda ; celle-ci suscita des réactions immédiates. Beaucoup disaient le connaître, l'avoir croisé plusieurs fois ces dernières heures, quelques-uns soutenaient que c'était l'acteur connu d'un public sélect, et d'autres qu'ils l'avaient vu à la télévision, sur une des chaînes étrangères, interviewé par un journaliste ; mais dans ce dernier groupe il y eut désaccord, certains soutenant qu'il était le journaliste et non l'interviewé.

Là-dessus, mon médaillon m'ordonna d'aller à la salle de massages. Je ne pus cacher ma joie et embrassai le dispositif, sans provoquer de sa part aucune réaction, du moins immédiate.

– À votre place, j'agirais avec plus de prudence, dit mon exécutante.

Je refoulai un nouveau mouvement d'humeur, tant j'étais persuadée que tout conseil au sujet des médaillons était dépourvu de fondement; je réussis, heureusement, à me contrôler, endiguant ainsi un nouveau flot de larmes de ma corégionnaire.

Nous entrâmes dans la salle de massages, plongée dans une suave lumière tamisée. J'imaginai la musique aux effets relaxants avant même qu'elle ne commence à s'élever faiblement. Je m'attendais à être dirigée sur l'une des portes fermées qui s'offraient à nous dans ce couloir capitonné, mais je ne voulais pas non plus tomber dans la mesquinerie de rappeler son devoir à mon exécutante.

– Il y a trois possibilités..., se mit à dire cette dernière.

Je crus d'abord qu'elle parlait des portes. De l'une d'elles sortit une jeune Asiatique, de l'autre une grosse et robuste femme de race blanche, aux longs cheveux frisés, et de la troisième, un athlétique Noir antillais, qui avait, vaille que vaille, l'air de trouver la vie très drôle. Tous trois portaient des médaillons.

– Que l'homme de la zone des lits soit Juan de Menda, poursuivait mon exécutante, en énumérant les possibilités qu'elle venait d'annoncer, et sans prêter attention aux prétendus masseurs. Que le tireur soit un imposteur, ou qu'il soit Juan de Menda ; que celui des lits soit un imposteur.

– Alors ça fait quatre ! dit l'Antillais narquois en riant de bon cœur.

– Cinq ! rétorqua la grosse bonne femme : qu'aucun ne soit Juan de Mendia.

– « De Mendia » non, « de Menda », corrigea l'Asiatique, avec un accent un peu nasillard : « Juan de Menda ».

Il me sembla qu'elle évoquait ce nom avec gourmandise. Mon exécutante lui demanda si elle le connaissait, mais la masseuse asiatique répondit que non, qu'elle ne le croyait pas. L'Antillais repartit à rire. Les médaillons étaient toujours muets.

– Je propose, dit la femme, que chacun de nous vous fasse un massage.

– À vous et à votre exécutante, ajouta l'Asiatique.

L'Antillais riait maintenant aux éclats ; son médaillon dansait convulsivement sur sa poitrine, et restait par moments suspendu en l'air.

– Déshabillez-vous ! ordonna-t-il tout en riant, imitant la voix de robot des médaillons.

Mon exécutante hésita, et en la voyant esquisser le geste de retirer ses vêtements, je lui resservis, vengeresse, la phrase qu'elle avait eue quand j'avais embrassé mon médaillon : « À votre place, j'agirais avec plus de prudence ». En effet, les exécutants n'avaient évidemment pas le droit de jouir directement — ou de pâtir — du destin de leur désigné. Mais l'Antillais ne lui permit pas d'hésiter plus longtemps ; il la déshabilla avec une précision froide qui excluait la brusquerie ou l'ambiguïté. Puis la poussa vers sa cabine.

Moi, j'eus d'abord droit à la jeune Asiatique, spécialisée en massages du cou et des épaules. J'appris qu'ils faisaient toujours la même chose ; qu'ignorant les ordres des médaillons, ils massaient tout le monde, y compris les exécutants qui, en général, vont par paires, me rappela-t-elle. Si bien qu'aucun d'eux ne se trouvait oisif quand les autres travaillaient, comme il en allait à cet instant précis de l'autre femme, sa collègue, et comme ce serait aussi son cas, ou celui de son collègue antillais, à un moment ou un autre. Je me sentis vaguement coupable, sans trop savoir pourquoi, mais cette gêne s'évanouit sous les doigts de la masseuse sur mes trapèzes. En sortant, je croisai mon exécutante dans le couloir ; apparemment, la durée des massages était synchronisée.

La grosse masseuse m'appela dans sa cabine ; mon exécutante devait, pour sa part, rejoindre la jeune Asiatique. Comme j'étais la désignée, m'expliqua la femme, c'était à moi d'être massée prioritairement sur la zone dorsale dont elle était spécialiste.

– Les massages, pour être tout à fait efficaces, enchaîna-t-elle, doivent suivre un ordre ; peu importe si c'est de haut en bas ou de bas en haut ; l'important, c'est que la zone médiane ne passe pas en dernier, ni, surtout, en premier. Il vaut mieux commencer par le haut, naturellement. Comme vous avez la primauté, en tant que désignée, mon collègue antillais, spécialiste de la partie lombaire, du coccyx et des membres inférieurs, s'est occupé d'abord de votre exécutante. Être massé pour commencer sur la partie médiane n'est jamais très bon. C'est pourtant le sort inévitable d'un des deux exécutants, pour qu'aucun des masseurs ne succombe à l'ennui de l'oisiveté. Mais, comme les opinions divergent quant à la priorité des exécutants, nous avons décidé de tirer au sort si la faveur devait aller à celui au premier ou au second degré. Votre exécutante a eu la chance d'être toute seule et, bien que ses massages n'aient pas suivi l'ordre linéaire idéal, elle s'est épargné au moins d'être massée en premier sur la zone médiane.

Les mains de boulangère de la femme pétrissaient mes muscles dorsaux comme si c'était du bon pain.

– Quant ils sont trois, poursuivit-elle, un désigné et deux exécutants, nous pouvons alors appliquer, de façon parfaitement satisfaisante, notre règle de la synchronisation du temps de massage, et tout va comme sur des roulettes. Notre souci majeur, c'est l'harmonie du mouvement et de l'activité ; il serait anarchique, désordonné, voire inesthétique, ajouta-t-elle, qu'alors qu'il y a trois clients et trois masseurs, il y en ait deux, de part et d'autre, qui se trouvent à un moment donné inoccupés, résultat inévitable si l'on suivait strictement l'ordre des parties de la colonne vertébrale de chaque client. Nous tenons compte de l'ordre, comme vous le voyez, mais seulement en second lieu.

Les choses étant ce qu'elles sont, ajouta-t-elle d'un ton complice, il ne fallait rien prendre trop au sérieux ; il valait donc mieux s'occuper de la forme que du contenu.

Le temps s'était achevé, ce qui m'empêcha de lui répondre.

À nouveau, mon exécutante et moi sortîmes simultanément de nos cabines respectives. Elle pénétrait maintenant dans celle de la grosse masseuse, tandis que je m'abandonnais aux mains de l'Antillais. Celui-ci avait cessé de rire ; il semblait, au contraire, très concentré sur un massage qui, par moments, prenait un autre caractère quand le coccyx, sous ses doigts huilés, s'étendait à des zones plus secrètes. Je brisai le silence comme pour ignorer la tournure particulière prise parfois par le massage. Pour l'obliger à parler et à se distraire un peu, le mieux, n'est-ce pas ? était de lui poser des questions. Pourquoi n'avaient-ils pas d'exécutants, puisque la présence des médaillons montrait qu'ils appartenaient à la catégorie des désignés ?

– La réponse à cette question est délicate, répondit le masseur. L'un de nous — je ne dirai pas qui — était au début le désigné, et les deux autres, ses exécutants. Comme ces derniers s'ennuyaient et qu'il y avait deux autres cabines, ils s'arrangèrent avec le désigné — j'emploie le masculin générique, n'en tirez pas pour autant de conclusions — pour distribuer équitablement les caractéristiques des deux fonctions entre nous trois. Diviser deux par trois n'est pas des plus simples, mais nous y arrivâmes. Chacun de nous devint en même temps exécutant et désigné à proportions égales, et nous en sommes toujours là. Votre peau absorbe merveilleusement l'huile, ajouta-t-il.

Notre conversation ne changeait pas grand chose à la nature des massages, et je pris le parti de penser qu'il s'agissait d'un réflexe conditionné.

– Et les médaillons? demandai-je.

Il rit pour la première fois depuis que nous étions dans la cabine.

– Ah! vous les femmes, toujours aussi curieuses, dit-il, tout en laissant ses doigts se livrer à une incursion un peu plus intime.

Je détournai fermement son bras vers des zones licites, ce qui provoqua chez lui un bref éclat de rire, mais d'obéissance, cette fois.

Il expliqua que beaucoup de gens passaient chaque jour dans sa cabine, et qu'il y en avait toujours un pour perdre, à l'insu de tous, son dispositif. On le retrouvait ensuite dans un coin, le cordon national enroulé comme la queue d'un chat. Certains mêmes le laissaient là à dessein, las d'avoir à obéir à des ordres toute la sainte journée. Les médaillons étaient d'étranges bébêtes, ajouta-t-il après un silence : parfois, en changeant de maître, ils devenaient muets.

On entendit soudain l'ordre électronique « Fin de massage », que le masseur répéta burlesquement dans un rire bouffon. Il l'imitait si bien que je me demandai si c'était le médaillon ou lui qui avait prononcé l'ordre la première fois. Son irrévérence allait cependant de pair avec sa volonté de satisfaire aux instructions, aussi me levai-je pour m'habiller.

– Ces bestioles m'amusent. Merci de lui avoir fait retrouver la voix par votre seule présence, dit-il en me tapotant l'épaule, au moment où je me dirigeai vers la porte.

Je ne perdis pas de temps à lui demander des éclaircissements, pour ne pas perturber la synchronisation. Mais en sortant, je vis mon exécutante qui m'attendait, assise sur une chaise placée pour elle dans le couloir capitonné. Les deux masseuses étaient devant leur porte, comme des prostituées attendant le client.

Nous n'avons pas fini en même temps, constatai-je ; le massage s'était donc désynchronisé. Mon regard étonné sur les trois femmes coïncida avec le chœur parfaitement simultané des deux masseuses :

– C'est la faute du médaillon. Elle va vous expliquer. Au revoir et bonne chance.

C'est alors que je remarquai, pendu au cou de mon exécutante, un dispositif. Elle en avait assez d'être exécutante, me dit-elle ; elle voulait être dans le feu de l'action ; ne pas rester une suiveuse. La grosse masseuse, qui la comprenait, lui avait offert, maternellement, un des nombreux médaillons oubliés par ses clients dans sa cabine, ou laissés là intentionnellement.

– Le seul inconvénient, lui fit elle remarquer, c'est que la plupart sont désactivés et ne prononcent plus d'ordres.

Mon exécutante, après un temps de réflexion, dit que cela lui était égal, qu'elle préférait n'importe quoi, même se déguiser en désignée, à la fonction d'exécutante. La masseuse l'avait laissée choisir au hasard un des médaillons de la boîte. Sitôt mis à son cou, le dispositif avait émis l'ordre « Fin de massage », ce à quoi mon exécutante euphorique s'était empressée d'obéir, tout en sachant — comme le lui avait expliqué la femme tandis que ma compagne se rhabillait — que sa zone dorsale en ferait les frais, faute d'avoir été, comme les deux autres, convenablement massée. Elle lui avait conseillé, pour pallier la difficulté, quelques exercices d'auto-massage par friction sur le sol.

Pendant que mon ex-exécutante me faisait ce récit, nous avions déjà quitté la zone de massages, et nous retrouvions dans le hall général du salon de beauté.

– D'après la masseuse, les médaillons communiquent entre eux, me disait mon ex-exécutante qui, sur le sol, en position fœtale, les genoux contre le front et animée d'un mouvement pendulaire, frottait son dos contre le parquet. Ainsi s'expliquait, affirmait la masseuse, que son propre dispositif, en général peu avare de paroles, n'ait rien dit.

– Elle t'a menti ; son médaillon ne dit jamais rien, lui révélai-je, elle non plus n'est pas une véritable désignée. Elle le cache par crainte de la répression.

Mon ex-exécutante était tombée sur un médaillon exceptionnel, qui ne s'était pas désactivé, voilà tout.

Peut-être irritée par son autonomie nouvelle, je feignais l'assurance, sans être au fond sûre de rien. Sa remarque précédente, quand j'avais embrassé mon dispositif, lui avait été dictée par l'envie, pensai-je, en la voyant maintenant câliner son médaillon, dont elle prétendait qu'il s'était activé à son contact, la reconnaissant, en un mot.

Un détachement de répresseurs entra alors dans le salon, et mon ex-exécutante se releva. Quelques clients autour de nous avaient entendu notre conversation ; ayant saisi le changement d'identité de ma compagne, n'allaient-ils pas la dénoncer ? Il se fit un silence total ; on n'entendait que les grincements élastiques des semelles de caoutchouc des répresseurs, adhérant au parquet.

– Tout le monde contre le mur, dirent-ils : il doit y avoir ici deux exécutants pour un désigné.

Ils passèrent devant nous en comptant le nombre de clients avec et sans médaillon. Et n'emmenèrent qu'une corégionnaire maigre comme un clou, trahie par son dispositif qui, caché dans sa poche, lui ordonnait de se rendre au traitement anticellulitique.

Nombre de clients s'étaient fait passer pour des exécutants, en cachant leur médaillon qui, heureusement, était resté silencieux. Je vis du coin de l'œil que mon ex-exécutante n'hésitait pas à risquer sa peau, en ne renonçant pas à la nouvelle identité de désignée qu'elle s'était elle-même fabriquée. La proportion entre exécutants et désignés se révéla miraculeusement exacte, sauf pour la cliente emmenée par les répresseurs.

Cet incroyable coup de chance méritait bien le champagne. Une bouteille avait surgi d'on ne sait où, probable produit du destin de quelque désigné, et les verres en plastique venaient du distributeur d'eau fraîche. La bouteille, pourtant, ne fut pas débouchée, mon ex-exécutante ayant déclaré que nous n'avions pas le droit de faire la fête, par respect pour la corégionnaire qui avait été emmenée. La joie régnait, malgré tout ; je remarquai que la plupart des clients avaient remis leur médaillon respectif et qu'il n'y avait presque pas d'exécutants.

Les répresseurs, à l'évidence — disaient certains —, fermaient les yeux. Ils ne s'étaient pas montrés bien méfiants; ils auraient pu, par exemple, mettre en regard les médaillons et les gourdes, éléments qui ne sauraient, on le sait, coexister; à l'inverse, l'absence de gourde rendait suspecte l'identité d'exécutant. Ils s'étaient bornés à n'agir, pour rester crédibles, que lorsque le médaillon avait parlé du fond de la poche de l'infortunée cliente, et d'une voix suffisamment forte pour ne passer inaperçue de personne.

– Je suis sûr, dit quelqu'un qui connaissait la victime, que notre corégionnaire a serré de toutes ses forces le médaillon qu'elle avait dans la poche, croyant ainsi pouvoir le réduire au silence. — Ce n'était pas la première fois qu'il la voyait faire. Les médaillons, il fallait les traiter avec douceur, conseillait-il.

S'il y avait si peu d'exécutants parmi ceux qui se trouvaient là, ce n'était pas que beaucoup de clients aient changé d'identité — le cas de ma compagne n'était pas le plus courant —, mais que le plus grand nombre de pertes avait été enregistré dans leurs rangs, en raison de la répression. Malgré cela, quelques désignés souhaitaient devenir exécutants, et la visite des répresseurs ne semblait pas les avoir fait changer d'avis. Cependant, l'hypothèse selon laquelle, face à la pénurie d'exécutants, serait tolérée, et même vue d'un bon œil, la métamorphose de désignés en exécutants, n'était plus soutenable.

Je me sentais, au milieu de toutes ces ambitions, comme un mouton à cinq pattes; mon but restait de trouver la sortie et, bien entendu, Juan de Menda.

Le médaillon de mon ex-exécutante et le mien exprimèrent simultanément le même ordre : « Sortie du salon de beauté! »

– Ils sont synchrones! s'exclama-t-elle avec, comme on dit, une joie non dissimulée.

Je ne voyais pas ce que la chose avait de positif. Au contraire, nous étions en danger; en exhibant notre statut de désignées sans exécutants, nous nous exposions à des représailles. On pouvait nous accuser du pire, à savoir que, laissées sans surveillance, nous faisions usage de notre libre arbitre.

Le vaste espace de la remise semblait maintenant bien plus désert qu'avant notre entrée dans le salon de beauté. De nombreux détachements de répresseurs le parcouraient en tous sens.

Il soufflait un air tiède, comme un vent de printemps ; une grande quantité de papiers, sortis d'on ne sait où, flottaient dans ce courant d'air comme des colombes blanches. Certains des clients-répresseurs s'amusaient à les embrocher de la pointe de leur baïonnette.

– Ils jouent comme des enfants ; on trompera sans peine leur surveillance, dit mon ex-exécutante avec un soupir de satisfaction.

Quatre clients, de ceux qui se trouvaient au salon de beauté, s'approchèrent de nous pour nous proposer d'être nos exécutants. Tous avaient mis leur médaillon dans leur poche ; ils ne voulaient pas, disaient-ils, s'en défaire, on ne sait jamais ; et puis, ils les garderaient en souvenir, pour les montrer aux autres corégionnaires, une fois revenus dans la salle du Grand Café.

Je ne voulus pas les décevoir par un refus, mais les avertis que je n'avais pas l'intention d'obéir à un ordre quelconque. Mes exécutants s'engagèrent à ne pas me faire violence, à remplir, en somme, une fonction de gardes du corps. L'un d'eux se saisit de la gourde de ma compagne, qui s'aligna sur mes déclarations en arguant que nous étions synchronisées.

Nos médaillons, en effet, énoncèrent un ordre en même temps, pour la première fois un peu imprécis :

« Cherchez ! » dirent-ils.

– Chercher quoi ? demandait mon ex-exécutante, comme s'adressant à son médaillon, mais en vain ; on le savait, qu'il était impossible de dialoguer avec eux.

Les médaillons, du fond de la poche de nos corégionnaires, ne se tenaient pas pour vaincus ; ils exprimaient des ordres de toute sorte dans une étourdissante cacophonie, et avec un volume sonore beaucoup plus élevé que quand ils étaient autour du cou. Nos faux exécutants n'avaient pas prévu cette réaction.

– Le contact avec les viscères les rend plus véhéments, avança l'un d'eux.

La cacophonie qui nous entourait finissait par attirer l'attention des répresseurs, qui semblaient vouloir suspendre leurs jeux avec les feuilles volantes, sans compter que ce méli-mélo d'ordres était proprement vertigineux.

Un des faux exécutants jeta violemment son médaillon par terre et le piétina avec rage. Impossible de savoir si c'étaient ces piétinements qui interrompaient les ordres du dispositif, en laissant des syllabes suspendues en pleine courbe ascendante, ou si c'étaient réellement des cris de douleur qui sortaient du médaillon, causés par la violence dont il était l'objet. La voix était encore plus stridente que lorsqu'elle sortait des poches.

Nous nous regardâmes affolés, mais le détachement de répresseurs voisin, tout en comprenant clairement ce qui se passait, ne sembla pas s'en inquiéter. Il s'approchèrent de nous avec nonchalance et curiosité. Malgré cette attitude nullement agressive, l'instinct de conservation nous cloua sur place, ma compagne, moi, et deux des trois autres faux exécutants. Le dernier crut bon de se mettre à courir, mais il fut poursuivi par un autre détachement qui le rattrapa, et je vis de loin qu'ils l'avaient jeté à terre.

Mon médaillon et celui de mon ex-exécutante avaient conclu une trêve et gardaient le silence. Mais ceux qui étaient dans la poche de nos corégionnaires, en revanche, vociféraient des ordres à perdre haleine. Cela n'échapperait pas longtemps aux répresseurs, et nous en avions des sueurs froides. Le piétineur, lui, bien qu'ayant sans doute vu marcher sur nous le détachement, n'avait pas pour autant cessé ses agissements, avec l'idée, sans doute, qu'il n'avait plus rien à perdre. Les répresseurs l'encerclèrent en observant d'un œil intéressé cette crise destructrice qui n'affectait en rien le médaillon ; il semblait se plaindre, les sons évoquaient de plus en plus la douleur physique, mais le détruire semblait tout bonnement impossible.

Les répresseurs voulurent tenter l'expérience, chacun à son tour ; voir si leur talon, ou la force de leur mollet, étaient plus efficaces que ceux du faux exécutant ; ou seulement, peut-être, essayer d'arracher à l'engin un cri plus aigu ou plus déchirant. Ils ordonnèrent aux deux autres d'extraire de leur poche les dispositifs vociférants et de les jeter par terre. Il était évident qu'ils étaient travaillés par le doute. Un des ex-désignés — celui qui avait fait main basse sur la gourde — refusa d'exécuter cet ordre, arguant que dans ce lieu on n'avait à obéir qu'aux médaillons, qui savaient ce qu'ils disaient. Mais les répresseurs, dédaignant son argument, allèrent chercher le dispositif au fond de sa poche. Occupés comme ils l'étaient à un piétinement collectif, ils ne prirent pas de représailles contre lui, qui se ligua à ma compagne pour me dissuader de rester là. Mes deux corégionnaires me regardèrent avec des yeux pleins de surprise et de reproche, en constatant combien me captivait, malgré tout, cette révélation de l'indestructibilité ; ils durent m'éloigner du groupe presque par la force.

– Ce qui fascine les répresseurs, dit mon ex-exécutante, après qu'elle-même et notre corégionnaire eurent réussi à m'entraîner avec eux, c'est de faire souffrir les médaillons. Pauvres petits, ajouta-t-elle les yeux humides, en embrassant le sien.

Le pluriel était justifié, vu le nombre de répresseurs qui s'étaient mis à pratiquer des exercices de piétinement ici et là, dépouillant ceux qui tenaient cachés des médaillons. Ils n'avaient pas encore osé arracher les dispositifs pendus aux cous. Notre ex-désigné ou faux exécutant souffrait d'autant plus du rapt qu'il avait subi, se sentant coupable de la souffrance de son médaillon. S'il ne l'avait pas relégué dans sa poche, disait-il, il ne lui serait rien arrivé. Et moi, en silence, je me réjouissais de savoir qu'un fragment indestructible de quelque chose se maintenait attentif aux battements de mon cœur.

Nos médaillons se taisaient toujours ; ils ne faisaient qu'émettre de loin en loin un léger bourdonnement, comme pour nous rappeler qu'ils existaient. Cela frustrait grandement ma corégionnaire, qui s'en était justement mis un pour pouvoir obéir joyeusement à ses ordres. Notre faux exécutant nous suivait comme un pantin désarticulé, incapable d'assumer la fonction qu'il avait, voici un moment, choisie avec enthousiasme. J'aurais bien aimé les semer tous les deux, mais ils m'emboîtaient le pas aveuglement, presque filialement.

– Les médaillons ont ordonné « Cherchez ! » Ce n'est pas parce qu'ils ne l'ont pas répété qu'il ne faut pas leur obéir, leur rappelai-je, jouant, mais à contrecœur, le rôle d'exécutant qui était resté vacant ; il va sans dire que je n'avais pas la moindre envie d'occuper ni cette fonction ni aucune autre.

– Chercher quoi ? demandèrent-ils à l'unisson.

Je leur dis que cela n'avait, visiblement, aucune importance ; ils pouvaient chercher ce qu'ils jugeraient bon, à eux de décider, quant à moi, et sans l'ombre d'un doute, je chercherais ce que je cherchais depuis le début : la façon de sortir de là.

– C'est impossible, dit le faux exécutant, reprenant du poil de la bête.

– Nous verrons ; cet endroit ressemble à une scène, à un décor de théâtre, répondis-je en montrant les rideaux de velours rouge qui couvraient les murs ; dans les coulisses, on doit bien trouver une porte quelconque.

Dépourvus de motivations propres, mes deux corégionnaires me suivaient avec résignation, tandis que j'écartais délicatement les pans d'étoffe.

– C'est là le contraire du hasard, dit l'ex-exécutant, en faisant allusion à l'ordre donné par les dispositifs, ou à l'interprétation que j'en avais faite. Il semblait à présent définitivement remis.

Son affirmation n'avait pas nécessairement un caractère critique, mais, à tout hasard, je lui rétorquai que l'injonction des médaillons coïncidait pour une fois avec ma volonté, et que c'était la seule chose qui m'intéressait.

– Je n'oblige personne à quoi que ce soit, ajoutai-je, dans l'espoir de les voir prendre une décision personnelle et me laisser seule.

Les jours, peut-être les semaines ou les mois, qu'ils avaient passés là pouvaient bien les avoir privés de leur libre arbitre, pensai-je. Mon hypothèse se vit confirmée par la réponse de mon corégionnaire.

– C'est bon ; je crois que notre destin est de te suivre.

Ma corégionnaire était d'un avis un peu différent : elle s'en remettait avant tout aux décisions des médaillons, dit-elle, tout en soulignant que le mien et le sien étaient parfaitement synchrones. Et donc, néophyte comme elle l'était, après avoir officié si longtemps comme exécutante, elle me faisait confiance quant à l'interprétation des desiderata médaillonesques.

Il ne faisait aucun doute que je ne pourrais me débarrasser de mes deux accompagnateurs ; mais l'essentiel, en fin de compte, n'était-il pas qu'ils soient dociles ?

Mon ex-exécutante suggéra avec modestie, presque timidement, que je me trompais peut-être sur l'objet de ma recherche. Je sus qu'elle voulait parler de Juan de Menda et lui répondis que je ne serai jamais sûre, si je restais ici, d'avoir affaire au véritable. Nous savions bien qu'on l'avait pris comme seul et unique modèle pour la chirurgie esthétique. Je crus que ma corégionnaire essayerait de me convaincre en brandissant sa théorie favorite, selon laquelle dehors et dedans, c'était du pareil au même ;

mais elle s'en garda, à mon grand soulagement : elle n'avait pas envie d'imaginer le cauchemar d'un monde peuplé de clones de Juan de Menda.

Nous cheminions dans l'étroit couloir entre les rideaux et le mur, quand nous vîmes au loin une porte livrer passage à de nouvelles recrues, pour ainsi dire, vraisemblablement en provenance des toilettes du Grand Café. Mes compagnons et moi-même nous mîmes à courir vers la porte de toutes nos forces, anxieux de l'atteindre avant sa fermeture, car nous soupçonnions qu'il nous serait impossible de la rouvrir pour sortir par là ; nous arrivâmes trop tard, et nos prévisions, hélas, se révélèrent exactes.

C'était un petit groupe de cinq tout jeunes gens, aux airs de touristes émerveillés, qui venait de débouler dans le couloir. Je leur dis en italien de perdre toute espérance, mais ils me répondirent avec candeur qu'à part notre langue, ils ne maîtrisaient bien que l'anglais.

– *Okey, it doesn't matter*, répliquai-je ; c'est intenable, ici. Venez avec nous ; nous cherchons la sortie.

Ils entrouvrirent les rideaux pour jeter un coup d'œil dans l'immense remise. Ils virent voleter des colombes blanches, et tout leur sembla fort paisible. Il y avait pourtant plein de détachements répresseurs occupés à faire souffrir les médaillons, et les colombes n'étaient que des papiers graisseux. Ils se montrèrent sceptiques devant ma mise en garde, me regardant avec une arrogance adolescente.

– Ne vous en faites pas, dit l'un, nous sommes assez grands pour nous débrouiller.

Mes compagnons, sans doute assaillis par la nostalgie de cet âge, leur tapotèrent l'épaule, comme pour les encourager.

Alors l'un d'eux s'enhardit à demander :

– C'est vrai qu'on tire au sort ce qui doit être tiré au sort, et aussi ce qui doit être le fruit de décisions longuement mûries ?

– Qu'ils prennent certaines décisions par esprit de justice et d'autres par hasard ? demanda un second.

– Par esprit de justice ? m'étonnai-je, de mon ton le plus ironique.

– Maintenant tout est prévu d'avance, dit le faux exécutant.

– Pas tant que ça, intervint notre compagne, les médaillons sont imprévisibles.

– Si vous tenez à être des souris de laboratoire, allez-y, entrez donc ; avec un peu de chance vous cueillerez au passage une métaphore, ou un symbole, ou quelque chose de cet acabit, intervins-je à nouveau, sur le même ton persifleur.

– Nous voulons seulement nous amuser, précisa un garçon presque imberbe ; on nous a dit qu'ici on pouvait.

– Mais vous êtes mineurs, remarqua la fausse désignée. Où sont vos parents ?

– Nous sommes de la même famille, dit une jeune fille aux yeux pétillants et aux cheveux multicolores. Je me présente : Lorena, ajouta-t-elle avec un large sourire. Les trois garçons sont Gamil, Brendon et Damien ; l'autre fille s'appelle Constance.

Nous apprîmes que Lorena et Gamil étaient frère et sœur par leur mère, et que le père de Lorena était aussi celui de Brendon ; qu'à leur tour Gamil et Damien avaient le même père. Constance et Damien la même mère. Ils ne manquaient pas, dit Lorena, d'occasions de se voir dans leurs différentes maisons. Mais ils trouvaient désagréable de se séparer tout le temps : Lorena et Gamil d'un côté, Damien et Constance de l'autre, pour voir leurs pères respectifs ; Brendon et Lorena leurs mères respectives, ainsi que Gamil et Damien. Le côté positif, c'est que lorsque Gamil se séparait de Lorena il retrouvait Damien, et Lorena Brendon ; les choses, pour Constance, s'étaient arrangées ; elle ne restait plus seule quand Damien s'en allait depuis que son père et le père de Damien — qui était aussi celui de Gamil — s'étaient mis en ménage. Les frères et sœurs par alliance, Gamil et Brendon, Brendon et Damien, Constance et Brendon, Lorena et Damien, Lorena et Constance, Gamil et Constance, s'aimaient autant que s'ils étaient demi-frères et demi-sœurs. Si bien que, cette fois, ils avaient décidé de ne pas se séparer pour entrer au Grand Café ; ils avaient réussi à franchir ensemble toutes les portes, bien serrés les uns contre les autres, trompant les capteurs qui les avaient toujours pris pour un seul et même corps.

Soudain conscients que toutes ces explications leur avaient fait perdre du temps, ils nous dirent au revoir en chœur, et merci pour tout.

Quand ils s'éloignèrent, notre corégionnaire nous proposa d'attendre là l'entrée d'un autre groupe pour pouvoir nous en aller; pour regagner, dit-il, le Grand Café.

Mon ex-exécutante se montra d'accord, mais tint à rectifier un détail : nous n'avions pas quitté le Grand Café.

Il me vint à l'esprit, au bout de quelques minutes, qu'il était dangereux de rentrer par ce chemin.

– Ce sont des parcours pensés pour être parcourus dans un seul sens, dis-je. Si nous revenons par là, nous allons nous retrouver enfermés dans des toilettes, et tout sera à recommencer.

En ordonnant « Cherchez! » ajoutai-je, les médaillons attendaient de nous quelque chose de plus créatif; il ne fallait pas les décevoir. Ma démagogie commençait à me convaincre moi-même.

En tout cas, cette théorie enthousiasma littéralement mes compagnons; j'avais trouvé, presque inopinément, la façon de les motiver. C'est bien dans ce but que je l'avais dit, mais je n'étais pas très sûre, non plus, d'être si loin de la vérité. Nous ne savions rien de ces médaillons; nous pouvions, simplement, supposer qu'ils représentaient l'un des multiples fruits de recherches scientifiques de plus en plus sophistiquées, des fruits qui finissaient par sembler magiques à ceux qui se bornaient à les utiliser sans connaître les mécanismes qui les régissaient. Il n'en allait pas autrement avec le hasard, au bout du compte.

Nous marchions maintenant le long de cette espèce de couloir flanqué, d'un côté, par le mur brut d'où suintaient de grosses gouttes d'humidité, et de l'autre par l'envers opaque des tentures de velours. Même si nous ne trouvions pas la sortie et que l'endroit était plutôt insalubre, il avait l'avantage d'être assez sûr; une cachette, en tout cas, nous permettant de respirer un peu. Quelques signes indiquaient que nous n'étions pas les premiers à passer par là, particulièrement des déchets : bouteilles de plastique vides, mouchoirs ou serviettes en papier roulés en boule, épluchures de fruits.

Mon ex-exécutante en avait la nausée; elle ne supportait pas, disait-elle, l'état de cette périphérie. Pourquoi fallait-il qu'elle habite un endroit où ceux qui étaient de l'autre côté du rideau envoyaient sournoisement du pied, avec lâcheté, les ordures qu'ils produisaient?

– Et pourquoi faudrait-il que cela tombe sur d'autres? répliquai-je.

Sans compter que nous, nous ne faisions que passer par là ; nous n'habitions nullement la périphérie, comme l'appelait tactiquement, en essayant d'établir de grossiers parallélismes, mon ex-exécutante. Je lui rappelai une nouvelle fois que je ne lui imposais pas de rester avec moi.

– Je ne veux pas m'en aller, dit-elle, je réclame seulement le droit de récriminer.

Ce n'était pas à moi de le lui permettre ni de le lui interdire, aussi ne lui répondis-je pas. Pendant ce temps, le faux exécutant débordait d'activité ; il avait le don de trouver des objets perdus que nous ne voyions ni l'une ni l'autre — porte-crayons, perles, pièces de monnaie, bâtons de rouge à lèvres —, dont il s'emplissait les poches.

– D'ailleurs, dit-il, brandissant avec fierté un permis de déambulation qu'il venait de ramasser par terre, rien ne nous dit que la périphérie n'est pas, plutôt, de l'autre côté. En y pensant bien, si nous nous fions aux rideaux, ou plus exactement aux tentures, il est clair que leur envers regarde vers nous, et par conséquent...

À mon sens, les déchets qui s'accumulaient dans ce couloir ne venaient pas de la remise, mais des corégionnaires débarquant du Grand Café. C'était chose connue que, pour supporter l'attente dans la queue, beaucoup de clients — et surtout ceux qui projetaient une excursion aux toilettes — se munissaient, par précaution, de sacs à dos avec des sandwiches, des fruits et des boissons ; il leur arrivait même, bien souvent, de consommer une partie de leurs provisions à l'intérieur de l'établissement, bien qu'à la dérobée, par peur des représailles des employés, et les déambulants eux aussi — je l'avais vu — portaient en général des sacs à dos ; aussi bien l'expérience des toilettes que celle d'une déambulation en forme étaient destinées — on le savait — à durer un bon bout de temps.

Mes compagnons se montrèrent indifférents à ma théorie, ou du moins gardèrent le silence. Le seul bruit, tandis que nous poursuivions notre chemin, était le bourdonnement léger, entrecoupé et simultané, de nos deux médaillons.

CHAPITRE III

Lorsque le faux exécutant ouvrit, étourdiment et sans nous consulter, une des trois portes qui s'étaient soudain présentées à nous, il était trop tard. Par l'ouverture, la lumière du soleil frappa ma rétine, m'insufflant une énergie presque oubliée. Je me tins sur le seuil, stupéfaite, tandis que notre compagnon était déjà dehors et que mon ex-exécutante, indifférente à la caresse du soleil et furieuse d'avoir à se plier à la décision d'autrui, s'efforçait d'ouvrir l'une ou l'autre des deux portes restantes, sans succès. Elle était mue par une obstination aveugle ; elle aurait pourtant dû savoir, lui rappelai-je, que dans ce genre de cas les autres possibilités devenaient caduques, et que les portes demeureraient hermétiquement closes.

– J'ai bien fait de choisir celle du milieu, affirma avec euphorie notre corégionnaire, en s'emplissant les poumons de l'air diaphane, presque aromatique, dont nous avions perdu l'habitude.

Le soleil animait de ses feux un champ d'herbes folles, parsemées de coquelicots sauvages aux délicats pétales agités par une brise suave. De hauts grillages métalliques, de ceux qu'on voit aux frontières ou dans les prisons, délimitaient ce champ.

– Alors, comme ça, on n'est pas à la périphérie ? dit ironiquement notre compagne en regardant les clôtures.

– On est au printemps ! répondit avec émerveillement notre corégionnaire. Et on a réussi à sortir, à sortir enfin !

Le faux exécutant sautait sur place à pieds joints, avec une joie puérile et débordante.

– On nous a exclus, insista notre compagne.

– Sottises, dit le faux exécutant. Il ne faut pas croire tout ce qu'on raconte. Est-ce qu'on voit des bidonvilles, par hasard?

Non, il n'y en avait pas, mais la présence des grillages empêchait pourtant, malgré le soleil et l'offrande de la nature, de partager sans réserve le bonheur de notre compagnon.

La toile métallique était si épaisse que la clôture qui marquait les limites du champ était impossible à escalader et ne laissait que peu de visibilité. L'absence d'électrification prouvait, d'après notre corégionnaire, qu'il ne s'agissait pas de ce fameux endroit où l'on parquait les « exclus ». Je lui rappelai qu'en tout état de cause, l'endroit dont il parlait ne se trouvait pas dans notre ville mais, à ce qu'on disait, dans l'autre, de l'autre côté de l'estuaire.

Un angle s'ouvrait devant nous et nous nous mîmes en route dans cette direction, la seule possible, au demeurant. Je me souvins du client obèse qui avait pris la parole au Grand Café, pendant que nous faisions la queue ; il avait dit que, de certaines toilettes, on pouvait se retrouver dans la campagne ; et des rires avaient salué son intervention.

Le faux exécutant semblait ne vouloir aller nulle part, seulement jouir du lieu exquis qu'il nous était donné de visiter. Ses poches s'emplissaient, maintenant, de petites cerises, qu'il prétendait comestibles.

Peu après, tandis que nous marchions toujours, attirés par une rumeur d'eau courante, je demandai, poussée par la faim, une de ses cerises à notre compagnon, mais le visage de celui-ci s'était assombri.

– Je n'arrête pas, depuis un moment, de trouver de petites bêtes mortes, me dit-il en me montrant le cadavre d'un lézard. Mieux vaut être prudents, ajouta-t-il, en vidant ses poches.

Nous aurions aimé entendre parler nos médaillons ; cela, supposions-nous, nous donnerait une piste.

– Les dispositifs, hasarda notre compagne, avaient comme objectif de nous enfermer à l'intérieur des clôtures. Ils étaient programmés pour notre exclusion.

Aucune note de déception ni de dépit, apparemment, ne vibrait dans la voix de l'ex-exécutante.

– Ils n'étaient pas programmés, répliquai-je ; nous avons là l'enchaînement de chacune de nos décisions, prises par hasard à défaut d'autre possibilité.

– Le hasard a été favorable, en un sens, dit le faux exécutant en se remettant à gonfler ses poumons. Sentez la bonne odeur de jasmin et d'eucalyptus. N'est-ce pas un privilège ?

– Tout est empoisonné ; il faut sortir d'ici, répondis-je, accrochée à mon obsession.

Mes corégionnaires échangèrent des regards entendus, et je me rendis compte du paradoxe : rentrer était la seule façon de sortir, mais il ne se présentait, pour le moment, aucune porte sur toute l'étendue du champ. Et nous savions par expérience que les trajets ordonnés par les médaillons ne prescrivaient jamais de revenir sur ses pas, du moins sans qu'il se soit auparavant passé « quelque chose » dans le nouvel endroit où nous avions été destinés — ou peut-être prédestinés.

Le bruit d'eau, de plus en plus proche, mêlé à un fracas de voix, nous attira vers un bois assez dense. Les arbres étaient grouillants de singes, dont certains tombaient sur nos épaules en y plantant des ongles presque humains. Ils étaient attirés par les médaillons, par leur éclat métallique peut-être, mais quand ils s'en approchaient pour les saisir, ceux-ci faisaient entendre un son aigu qui les mettait en fuite et leur faisait regagner leurs arbres avec des glapissements plaintifs.

Les voix se firent tout à coup plus proches et nous vîmes apparaître, portées vers nous par le courant rapide, une multitude d'embarcations précaires, surchargées de gens que leurs vêtements en lambeaux et leur regard égaré faisaient ressembler aux rescapés de quelque catastrophe. Les singes de notre rive, se désintéressant soudain de nous, s'élançaient des arbres dans les bateaux, pour se jucher sur des épaules sans défense et y planter leurs griffes acérées. Les navigateurs de fortune tentaient de s'en défaire et on entendait, de quelques bateaux, des claquements d'armes à feu abattant, çà et là, un de ces primates grégaires. Des barques les plus proches de l'autre rive nous entendions crier « Nous sommes au complet ! Nous ne pouvons nous arrêter ! », et nous supposâmes qu'il y avait, en face, des êtres humains implorant d'être transportés.

Dans le but d'obtenir quelque information, mes deux corégionnaires et moi nous mîmes à courir parallèlement à l'un des bateaux les plus à notre portée.

– Nous ne pouvons prendre personne ! crièrent-ils dans notre direction.

– Nous voulons juste savoir où nous sommes, dit le faux exécutant.

– Un fleuve, un champ, une barque, des arbres, des singes et des hommes désespérés, ironisa un barbu, et tous ceux de son bateau se mirent à rire, nous regardant d'un air goguenard.

Un murmure de mépris parcourut l'équipage, et nous sûmes qu'ils avaient remarqué nos médaillons. Il était inutile, du reste, de continuer à courir à côté d'eux ; le courant allait plus vite que nos jambes.

– Avec vos médaillons vous n'avez rien à faire ici, nous cria de la poupe une femme plutôt jeune. Les tubes sont en amont du fleuve, ajouta-t-elle.

Après avoir rempli notre gourde, nous nous éloignâmes de la rive couverte d'arbres, car les singes s'acharnaient sur notre corégionnaire sans dispositif, qui s'évertuait à en imiter le sifflement salvateur, mais en vain.

– Il n'y a jamais eu de singes dans cette région, se plaignait le faux exécutant en suçant les blessures infligées par les griffes sur ses mains et ses avant-bras.

– Je me suis trompée, dit notre compagne ; dehors, ce n'est pas comme dedans ; c'est pire.

– Ici au moins il y a du soleil, rétorqua le faux exécutant.

– Nous sommes toujours dedans malgré les apparences, grognai-je entre mes dents.

– Voilà qui me plaît, dit-elle ; enfin nous tombons d'accord. Nous ne pouvons qu'être dedans, ajouta-t-elle ; dedans, éternellement dedans.

Je vis à quel point elle était plus affectée que moi. Il existait encore, pour moi, un dehors potentiel qui n'était pas celui-là, mais je n'avais pas le courage de lui expliquer qu'il s'agissait de la simple et évidente rue connue de tous, car il ne semblait pas en subsister dans sa mémoire la moindre trace. Il fallait, pour le moment, trouver le moyen de sortir d'ici.

– Nous devons continuer à avancer, dis-je, avec une autorité qui me venait, supposai-je, de mon authentique identité de désignée.

– Sortir pour entrer, et rentrer pour sortir, c'est ce qu'on appelle « avancer », ironisa mon ex-exécutante, en regardant notre compagnon avec l'air de chercher sa complicité.

Mais celui-ci se moquait, apparemment, d'approfondir cette fausse alternative ; il s'était remis à déplorer la perte de son médaillon ; les nôtres s'étaient révélés fort utiles contre les singes. Cela signifiait, dit-il — comme si, après nos aphorismes, il voulait nous démontrer que lui aussi savait penser —, que, même silencieux, ils restaient vigilants. « Ils restent vigilants », répéta-t-il deux ou trois fois, comme pour souligner un attribut révélateur des médaillons.

Nous cheminions en aveugles, sous un soleil de plomb, dans la direction indiquée par la femme du bateau, parallèlement au fleuve. Celui-ci constituait, d'après notre compagnon, la base d'un triangle isocèle, les clôtures étant les deux côtés égaux entre eux. De l'angle supérieur par lequel nous étions sortis, nous nous étions éloignés en direction de l'eau, en suivant approximativement la ligne de hauteur du triangle, et en arrivant ainsi à la zone des singes. À un moment donné, en poursuivant toujours tout droit, nous devions apercevoir, au loin, le grillage métallique. Et avant lui les tubes, avec un peu de chance.

Nous nous rapprochâmes du fleuve, poussés par un double espoir : de trouver, au voisinage de l'eau fraîche, un peu de soulagement à la chaleur, et d'apercevoir d'autres embarcations d'où l'on pourrait, peut-être, nous confirmer ce que la femme nous avait dit. Nous n'avions pas à craindre une nouvelle agression de singes : la végétation était basse et épineuse, plus propice à abriter reptiles et rongeurs. Le fleuve, à cet endroit, formait une nappe d'eau dormante, et la lumière s'y réverbérait, ainsi que dans l'air, avec la même vibration aveuglante que dans un certain film de Herzog, me voyais-je dire à Wilfredo et Marilyn. Le silence avait cette même texture menaçante, proche et circonscrit qu'il était par les incessants glapissements des singes à l'arrière-plan.

Ils ne mirent pas plus de temps à apparaître que celui qu'il fallut à notre conscience et notre mémoire pour organiser et enregistrer les nouvelles perceptions, mais nous nous attendions à tout autre chose. Ils flottaient sur le dos, violacés et dérivant au rythme insupportablement lent du courant, comme pour nous laisser le temps de les observer, gonflés d'eau et porteurs de médaillons muets qui brillaient au soleil tels des braises ardentes. Les cadavres des deux sexes, à divers stades de la nudité, étaient entraînés par le tranquille moteur de l'eau comme les membres dispersés et insoumis d'un silencieux régiment.

Nous pensâmes certainement, tous les trois, à l'hypothèse de notre corégionnaire concernant la prétendue protection assurée par les médaillons ; elle s'adaptait mal, c'est le moins qu'on puisse dire, au spectacle que nous avions sous les yeux. Mais nous étions effrayés par le mystère que recelaient les dispositifs, et préférâmes nous taire, craignant peut-être leur vengeance. C'était là, pourtant, une précaution inutile ; l'omnipotence des dispositifs était le gage de leur omniscience, donc de la connaissance de toute pensée hostile à leur égard, même non formulée.

Ainsi accablés, nous nous éloignâmes à nouveau de la rive, continuant cependant à longer le fleuve en amont, toujours dans la direction indiquée par la femme de la barque.

– Et pourquoi faire confiance à cette échevelée? dit au bout d'un moment mon ex-exécutante.

– Ce sont les tubes qui extraient la lumière du soleil, et la transmettent au Grand Café au moyen de miroirs, pour les éclaircies, affirma notre corégionnaire.

– Et qu'est-ce qui nous dit qu'ils se trouvent dans cette direction? lui demandai-je, mettant son assurance à l'épreuve. Je partageai, pour une fois, la défiance de la fausse désignée dont le médaillon, de plus, émettait à présent, en écho au mien, des onomatopées aquatiques.

– Je ne serais pas étonnée que ce soit un piège, ajouta cette dernière ; après tout, c'est de là que viennent les cadavres.

– Raison de plus, dit notre corégionnaire, qui surenchérit : Qui ne risque rien n'a rien.

Le grillage fit son apparition, comme nous le craignions, avant les tubes. À travers les trous minuscules de son épaisse toile métallique nous aperçûmes, un peu plus loin, les formes sinueuses, comme entrelacées, de plusieurs énormes tuyaux très épais dont le diamètre, d'après nos estimations, était suffisant pour laisser passage à deux camions.

– Il ne doit pas être facile de circuler là-dedans, observa notre compagnon ; il y a à l'intérieur une succession de miroirs coupants qui se meuvent de façon aléatoire. Vous vous en souvenez, les éclaircies du Grand Café sont imprévisibles ; c'est parce qu'elles dépendent de la coïncidence fortuite entre les rayons du soleil et les mouvements des miroirs, qui permettent ou non aux premiers d'arriver jusqu'à l'établissement.

– Qui t'a raconté tout ça ? lui demandai-je.

– Bien des gens ; par bribes ; je ne fais, moi, qu'assembler les morceaux du puzzle. Avec la colle de l'imagination — s'excusa-t-il —, mais peut-on faire autrement ?

Nous restâmes pensives. Tenter de traverser le fleuve torrentueux, c'était signer notre arrêt de mort, commettre l'erreur qu'il ne fallait pas commettre. Nous pouvions, en revanche, tâcher de nous faire accepter sur les bateaux qui ne manqueraient pas de descendre encore le fleuve, ce qui impliquerait, presque à coup sûr, de nous séparer. C'était aussi, et en toute certitude, nous condamner à l'exil.

– Mais ce triangle est, en réalité, un trapèze ! dis-je, dans une brusque illumination. Retournons par où nous sommes venus.

Aussitôt, nos deux médaillons refirent entendre leur : « Cherchez ! »

Ma théorie était qu'en face de la base représentée par le fleuve, il n'y avait pas un angle, mais bel et bien le côté parallèle et beaucoup plus court d'un trapèze. Nous étions sortis par une des extrémités du côté en question, qui faisait un angle avec une clôture grillagée, mais il ne fallait pas oublier l'autre pointe ; si nous ne l'avions pas remarquée, c'était à cause de la surprise provoquée par le soleil et le grand air, qui avaient exercé sur nous, il faut bien le dire, une attraction irrésistible. C'est là que devait être, vraisemblablement, l'entrée qui nous redonnerait accès à la remise.

Mes explications géométriques ne parvenaient guère à convaincre mes corégionnaires, déconcertés par l'intervention du médaillon juste après ma phrase. Selon le faux exécutant, le dispositif n'aurait pas dit « Cherchez ! », après ma proposition, si elle avait été juste.

– Je ne crois pas que le médaillon prétende nous faire trouver la sortie, objectai-je.

– Je me réjouis de te l'entendre dire, commenta mon ex-exécutante.

– Le médaillon, dis-je sur un ton un peu pontifiant, ne prétend pas nous obliger à trouver quoi que ce soit. *Navigare necesse est*... vous vous en souvenez?

– Pas d'accord; c'est vivre qui importe le plus, répliqua, pragmatique, le faux exécutant.

– De grâce, ne me parlez pas de naviguer, j'ai l'estomac tout retourné, supplia notre compagne, sur qui avaient fait une forte impression, visiblement, les scènes dont nous venions d'être témoins.

– Croirait-on que tu as été exécutante! murmurai-je.

Elle laissa passer un temps, puis me dit :

– Tu n'as pas vu Juan de Menda parmi les cadavres?

Supposant qu'elle cherchait à me déstabiliser pour me punir de lui avoir rappelé son ancien statut, je ne lui répondis pas. De toute façon, chez ceux qui avaient défilé devant nous, bercés par le suave courant du fleuve, revêtus de l'uniforme unique de la mort, il était impossible, à mon avis, de reconnaître aucun trait distinctif, à l'exception, parfois, de ceux du sexe, révélé par la longueur des cheveux ou les restes de quelque vêtement.

– Rebroussons chemin, ordonnai-je à mes corégionnaires.

Les médaillons se mirent, eux aussi, à répéter leur ordre. Je fis remarquer à mes compagnons que, loin de me contredire, les dispositifs corroboraient régulièrement mes affirmations; comme il n'était pas facile, en fait, de trouver d'un coup le chemin de retour, il fallait le chercher.

– Les médaillons ne nous imposent rien, hasardai-je; ils s'adaptent, plutôt, à nos besoins et à nos désirs, en les formulant à voix haute.

Ma compagne fit remarquer que j'avais dit, au début, que les médaillons prétendaient nous faire trouver autre chose que la sortie.

– Je ne me contredis pas, répondis-je à son insinuation. Je ne fais qu'apporter une petite rectification au postulat. Du reste, les dispositifs disaient « Cherchez » dès avant notre sortie de la remise. Ils veulent que nous trouvions une solution, non pas la banale sortie, mais une solution qui nous convienne.

Les médaillons avaient aussi émis des bruits aquatiques, et cela avait sûrement à voir avec le fleuve. Peut-être voulaient-ils, dit mon ex-exécutante sur le chemin du retour, nous faire chercher quelque chose par là. Cette hypothèse était inacceptable pour notre compagnon, qui croyait à la nature bienveillante des médaillons. Ils ne pouvaient vouloir nous attirer vers le fleuve. Les cadavres appartenaient, d'après lui, à ceux qui avaient tenté de franchir la clôture en se jetant à l'eau pour atteindre les tubes ; comment, alors, avaient-ils pu se noyer, comme le laissaient supposer leurs corps gonflés, rien qu'en longeant la rive en direction des tuyaux géants ? observai-je.

Il s'était produit une catastrophe, une guerre ethnique, ou peut-être étaient-ce des exclus de la ville d'en face qui n'avaient pas survécu à la navigation.

– Ils viennent directement des ascenseurs, ceux-là ; ils font partie des insurgés, comme Juan de Menda, dit mon ex-exécutante.

Rien n'était moins sûr, mais, d'où qu'ils viennent, le plus important, pour l'instant, était de ne pas s'exposer au même sort.

– Ce que veulent les médaillons lorsqu'ils disent « Cherchez », c'est que nous trouvions la solution de toutes ces énigmes, affirma alors le faux exécutant.

– On va te dire que chercher et trouver, ce n'est pas la même chose, lui dit la fausse désignée d'un ton narquois.

Je pris un air indifférent.

Maintenant les dispositifs émettaient à nouveau leur léger bourdonnement, entrecoupé d'un bruit de clapotis évoquant une musique de relaxation, aux effets détendants.

En revenant par le champ aux hautes herbes et aux coquelicots sauvages, nous rencontrâmes un certain nombre d'hommes vêtus de bleus de travail, qui opéraient des vérifications et de menues réparations sur des appareils cachés dans les arbres, et que nous n'avions pas aperçus à l'aller. L'un d'eux, à notre approche, nous demanda si nous avions vu les *clandestins*. Nous tardions à répondre : ignorant de qui il voulait parler, nous hésitions à dire quoi que ce soit, de peur de dénoncer inutilement.

Ce fut alors que le technicien nous montra, avec orgueil, « les minuscules radars à longue portée » et « les petites caméras thermiques capables de percevoir la chaleur dégagée par un corps », termes dans lesquels il décrivit ces « nouvelles merveilles technologiques » que l'on venait d'installer.

– Tout cela connecté aux missiles. Pas un qui puisse en réchapper, dit-il, en se frottant les mains.

Puis, nous tapotant amicalement l'épaule, il nous confirma que nous étions dans la bonne direction, qu'au bout de la longue clôture grillagée de gauche nous trouverions une porte pour rentrer.

– Pauvres gens ! commenta la fausse désignée, quand nous fûmes suffisamment loin.

– Il voulait parler des singes, dit le faux exécutant. Il y a un trafic clandestin d'animaux exotiques, qui se sont reproduits par milliers en un temps record ; cela provoque de graves perturbations dans l'environnement inapte à les recevoir, expliqua-t-il comme s'il récitait une leçon apprise par cœur.

Il donna d'autres exemples : de voraces tortues géantes éliminant les pacifiques petites tortues locales ; des poissons-chats de plus de cent kilos, des grenouilles aussi grosses que des crapauds, qui épouvantent les pauvres rainettes de par ici, des piranhas, des iguanes, des cacatoès...

En dépit de ses efforts, notre corégionnaire avait du mal à nous convaincre que la raison de pareil déploiement puisse être de tuer des singes.

– Bien sûr, ils n'ont pas fabriqué tout cela exprès, insistait-il, mais la surproduction actuelle oblige à écouler cet énorme matériel.

– Ils n'ont pas besoin des singes pour ça, dit mon ex-exécutante au moment exact où nous arrivions en face de la porte.

Celle-ci se trouvait à l'une des extrémités d'un très haut mur, si lisse qu'il décourageait d'avance tout projet d'escalade. Il était, de plus, coiffé d'un grillage du même genre que la clôture du camp, qui se découpait là-haut sur l'azur profond. Je pensai, sans le dire, que s'il y en avait un d'électrifié, c'était bien celui-là.

– En avant ! dit le faux exécutant en posant sa main sur la poignée de la porte, qui s'ouvrit aussitôt.

Nous fûmes aveuglés par l'obscurité soudaine, et un relent d'humidité me prit à la gorge. La porte se ferma dans notre dos avec un bruit sec, sur ce morceau de campagne, tout de même, maintenant inaccessible. Le contraste avec l'extérieur mit en évidence, rétrospectivement, les conditions peu engageantes où nous nous trouvions juste avant de sortir. L'endroit semblait le même ; le long couloir étroit parsemé de multiples déchets qui s'étendait derrière nous était bien celui que nous avions parcouru pour arriver à ce point où, devant nous, nous fermant le passage et nous obligeant à choisir, se dressaient toujours les trois portes.

Pour vérifier que tout était bien en ordre, j'essayai d'ouvrir celle du milieu, par où nous étions sortis puis rentrés, et pus constater que, selon mes prévisions, elle demeurait obstinément close.

Le faux exécutant dit que nous étions vernis, que ses théories sur les médaillons, tout au moins ceux que nous portions toutes les deux, étaient en train de se vérifier. En général, dans la vie, poursuivit-il, après avoir pris une décision, on suit son chemin et il est impossible de faire marche arrière, de revenir au point initial. Les dispositifs, en revanche, nous en donnaient maintenant la possibilité, disait-il avec enthousiasme. Il fallait saisir cette chance unique qui s'offrait à nous.

Les médaillons, comme des enfants espiègles conscients qu'on parle d'eux, reprirent leur cri-cri coutumier, mais en poussant le volume sonore au maximum, ce qui nous obligea à crier pour nous entendre.

– Chance unique mon œil ! vociférai-je.

– Pourquoi juste un coup d'œil ? demanda l'ex-désigné qui, tout en ayant capté mon irritation, sinon mes paroles, était toujours dans ses nuages.

Les médaillons continuant à nous assourdir, je préférai ne pas insister et remettre à plus tard ce que j'avais à dire. Ce n'était pas une chance qu'on nous donnait, puisque nous n'avions d'autre possibilité que d'ouvrir une des deux portes restantes. Les dispositifs avaient décidé de nous faire revenir au point de départ du long trajet que nous venions de mener à bien.

Soudain, ils se turent, et il régna un silence absolu.

Nous nous trouvions devant les trois portes — dont une était hors-jeu —, sans savoir laquelle des deux autres choisir. Restait l'itinéraire qui s'ouvrait dans notre dos, mais il était vain d'en espérer quoi que ce soit ; nous engager dans le couloir, c'était refaire le trajet que nous connaissions déjà, et renoncer à sortir.

Notre compagne, cohérente avec elle-même, ne manqua pas, bien sûr, de proposer cette possibilité.

À ce moment-là, les médaillons reprirent leur antienne.

– Qu'ils disent « Cherchez », affirma mon ex-exécutante, signifie, selon moi, qu'ils attendent que nous retournions en arrière. Ouvrir une porte, ce n'est pas chercher.

Je redis, d'une voix lasse, que je ne voulais pas avoir à répéter mille fois que chacun faisait ce qu'il avait envie de faire, et que rien ne nous obligeait à rester ensemble. Je n'avais aucun doute que revenir en arrière, en suivant le couloir, était se condamner à rester à jamais enfermés au Grand Café, et j'étais certaine que tel était le désir, inconscient sans doute mais tenace, de mon ex-exécutante.

Notre compagnon me fit remarquer qu'en dépit de mes affirmations contraires, les médaillons nous laissaient un certain libre arbitre ; je l'avais moi-même reconnu, nous pouvions faire ce que nous avions « envie » de faire, avais-je dit. Il était pleinement d'accord avec moi, ne divergeant profondément que sur le dernier point que j'avais soulevé : il n'était pas question de nous séparer. Le fait qu'il y ait trois portes signifiait évidemment que chacune d'elles devait être ouverte par l'un d'entre nous.

Le faux exécutant était le seul intéressé par l'énigme de ce qu'il pouvait y avoir derrière les portes, et, l'espace d'un instant, j'enviai son enthousiasme. Je ne me décidai pas à agir, lasse de tant de manipulations. Quant à mon ex-exécutante, je ne savais trop si elle attendait ma décision, en me laissant le privilège de la priorité, ou si elle ruminait la possibilité de reprendre, toute seule, le couloir en sens inverse.

Pour gagner du temps, je déclarai que la responsabilité de nos dispositifs dans tout ce qui nous était dernièrement arrivé me semblait des plus contestables. De fait, les médaillons n'avaient pas l'air dans leur état normal, ajoutai-je : ils faisaient alterner la répétition de l'invariable injonction « Cherchez » — prononcée, il fallait le reconnaître, un peu sans rime ni raison — et divers bruits vaguement hystériques évoquant un certain trouble mental. Je me repentis aussitôt d'avoir employé ces qualificatifs mais, par chance, cela ne fit tiquer aucun de mes deux corégionnaires.

L'ex-désigné manifesta son accord, soit pour s'attirer mes bonnes grâces, en sentant que son destin dépendait de ma décision, soit dans un mouvement de sincérité. Il fit valoir l'argument peu solide que les trajets étaient préexistants. Tout semblait indiquer l'impuissance des médaillons face aux événements, ce qui expliquait les réactions désordonnées que je venais de décrire. Mon ex-exécutante fit remarquer que nous ne cessions de nous contredire ; peu auparavant, notre corégionnaire avait, en effet, évoqué la prétendue bonté des dispositifs.

– Je ne vois pas où est la contradiction, répondis-je.

– À supposer que les trajets soient prédéterminés, ils ne sont pas uniques mais multiples, vous le savez bien, dit, avec un brin de suffisance, mon ex-exécutante. Ce sont eux qui décident, ajouta-t-elle, en promenant sur son médaillon l'insistante caresse d'un index suave.

Il était évident que ma compagne jouait la carte de la flatterie, dans le but d'obtenir pour nous un sort plus favorable.

– Tu devrais bien, alors, leur demander qui de nous deux doit ouvrir la porte, et laquelle, répliquai-je non sans ironie.

Me prenant au mot, elle se mit en devoir de me rappeler ce que j'avais moi-même dit à un autre moment, à savoir que les dispositifs ne répondaient pas à nos questions. Une fois de plus nous n'arrivions pas à nous dépêtrer du bourbier de nos différends, et ce fut le concert assourdissant des médaillons qui nous en tira, avec un grésillement aigu qui perçait le tympan. Sans y regarder à deux fois, mon ex-exécutante et moi tendîmes nos mains vers la même porte et actionnâmes la poignée, dans le même élan, avec une pression identique. Simultanément, les grésillements cessèrent.

Nous nous retrouvâmes à nouveau dehors ; une nouvelle fois le soleil frappa nos pupilles. Les mêmes grillages étaient là, mais s'agissait-il bien du même champ ? cette fois, cela sentait le chèvrefeuille, et l'on ne voyait que des marguerites, et pas de coquelicots. Les herbes folles s'étaient transformées en gazon : humide, il avait l'air fraîchement tondu, mais n'exhalait pas le parfum caractéristique. On apercevait, au fond, une végétation plus épaisse, d'arbres qui suggéraient la présence du fleuve.

– Ça ne sent pas l'eucalyptus, ici, observa mon ex-exécutante.

– Dans l'autre champ il n'y avait pas d'eucalyptus, répliquai-je.

– Ici ça sent le chèvrefeuille, mais on n'en voit nulle part.

– C'est le même champ, conclut, sans nous convaincre, le faux exécutant.

Les médaillons se mirent à striduler d'abord tout doucement, puis en augmentant peu à peu leur volume sonore, comme nous avions pu l'observer en d'autres circonstances. Pour une fois, notre interprétation à tous les trois fut la même : les dispositifs nous poussaient à agir.

Je sentais que mon creux à l'estomac commençait à faire des ravages dans mon corps tout entier.

– J'ai faim, dis-je.

Je répétai ma phrase en criant, et me rendis compte que mes corégionnaires m'avaient entendue en les voyant ôter leurs mains de dessus leurs oreilles qu'ils protégeaient du sifflement, et déplier, pour me regarder, leurs paupières qu'ils tenaient serrées.

– Nous avons faim, répondirent-ils, en criant eux aussi.

Subitement pris de colère, nous voilà hurlant cette phrase à plusieurs reprises. J'ignore si ce fut à cause de nos cris, plus intenses que les sifflements, ou de la rage qui nous secouait la poitrine et faisait tressauter les médaillons, le fait est que ceux-ci se turent assez vite, puis articulèrent de nouveau, toutefois assez timidement :

– Cherchez !

– Nous y sommes, dit mon ex-exécutante. Voilà ce qu'ils veulent nous voir chercher : de la nourriture. Nous aurions dû comprendre plus tôt. Nous sommes affamés depuis des heures et des heures ; il doit bien y avoir par ici quelque chose à manger.

– Tout est empoisonné, répondit notre corégionnaire.

– Ce n'est pas le même champ, répliqua ma compagne.

– C'est en tout cas le même fleuve, répondit le faux exécutant, en montrant l'endroit où la végétation s'épaississait.

Nous nous allongeâmes sur le gazon, épuisés par la faim. Dans le ciel couraient de longs filaments de nuages, comme poussés par un vent impétueux. En bas, en revanche, régnait le calme ; c'est à peine si nous sentions nos cheveux soulevés, de temps à autre, par une faible brise.

– Les médaillons se sentent coupables, murmura la fausse désignée. Vous avez entendu leur ton ?

– Ce ne serait pas étonnant. N'importe qui doté d'un minimum de scrupules se sentirait coupable, à leur place ; ils ne nous ont, jusqu'à présent, rien ordonné qui nous permette de manger, dis-je, consciente de succomber au plus grossier des anthropomorphismes. Je ne croyais cependant pas à ce sentiment de culpabilité, rectifiai-je ; ce qui m'intriguait plutôt, c'était la crainte absolument inexplicable qu'ils avaient manifestée.

– Ils ne peuvent avoir peur, en effet, approuva mon corégionnaire. Nous savons bien qu'ils sont indestructibles.

– Nous n'en savons rien, rétorquai-je, nous ne faisons que le supposer.

Les dispositifs firent entendre, une fois de plus, leur injonction familière :

– Cherchez !

Je fus assaillie par une envie presque irrésistible de gifler mon médaillon, ou de le mordre, mais je parvins à me dominer. Leur ton était maintenant beaucoup moins timide.

– Nous allons chercher de quoi manger. Mais ce n'est pas pour vous faire plaisir ! criai-je à mon dispositif, dont l'absence de réponse renouvela mon irritation.

– Tout est empoisonné, répéta le faux exécutant.

Pourtant, remarquai-je, les cerises qu'il avait mangées la première fois, dans l'autre champ, ne lui avaient rien fait ; et ici nous étions probablement dans un endroit différent. Avec le gazon, on ne pouvait pas parler de champ, on se serait plutôt cru dans un jardin.

– Nous n'allons pas tarder à le savoir, répondit notre corégionnaire, en se redressant et en nous invitant à l'imiter. Son intention, révélée par l'orientation de son corps, était de nous faire rejoindre le fleuve. Il espérait peut-être y pêcher quelque chose, supposai-je, et ma corégionnaire également, car elle affirma qu'il n'était pas question pour elle de toucher à quoi que ce soit en provenance d'une eau où flottaient des cadavres. Quant à moi, je considérais que, dans un jardin, il devait bien y avoir moyen de trouver quelque chose à manger.

– Il n'est pas certain que ce soit un fleuve, objectai-je.

– À moins que vous ne vouliez brouter de l'herbe, dit le faux exécutant, mieux vaut se bouger un peu.

– Il me semble, répliqua la fausse désignée, que tu es en train d'usurper une position de chef qui n'est pas la tienne.

Notre compagnon argumenta que la sortie dans le champ précédent, comme nous ne l'avions sûrement pas oublié, s'était faite par l'opération de sa volonté, pour inconsciente qu'elle soit : n'était-ce pas lui qui avait ouvert la porte? Mais, une fois là, il s'était laissé guider par nous. Rien de tout cela n'avait été tout à fait volontaire, expliqua-t-il, pas davantage ce qui se passait maintenant. C'était spontanément qu'il adoptait une attitude plus dynamique, bien que pas exactement de « chef », précisa-t-il, destinée à rétablir l'équilibre qui, en quelque sorte, présidait apparemment à la conception de tout ce qui avait lieu au Grand Café.

– Quand j'ai ouvert la porte, vous avez pris les commandes; et puisque maintenant c'est vous qui avez ouvert, c'est à moi de mener la danse, conclut-il.

Je ne me sentais pas la force de le contredire, et mon ex-exécutante, de son côté, ne souffla mot. Il y eut quelques secondes de silence où je vis ma compagne, à nouveau en extase, loucher, tout miel, sur son dispositif.

– Non seulement les médaillons connaissent notre fonctionnement psychophysique, mais ils l'induisent aussi; ils sont en communication directe avec l'inconscient, comme on sait, affirma-t-elle.

– On ne le sait pas, dis-je; c'est là pure invention de ta part.

J'étais, une nouvelle fois, seule avec ma révolte; mes compagnons avaient beau se plaindre par moments, ils acceptaient tout cela, au fond; ils reconnaissaient aux médaillons une autorité suffisante pour nous diriger, pour se jouer de nous au point de nous affamer. Ils avaient envie de croire qu'une volonté supérieure et raisonnable gouvernait l'ensemble. Moi aussi parfois j'en avais envie. C'était plus facile que le désespoir. Une volonté supérieure sachant tout, pouvant tout; ça, c'était tenable; sinon, le non-sens vous prenait à la gorge et vous suçait jusqu'à la moelle. La pensée que tout était planifié d'avance, et que tout avait une raison d'être échappant à notre entendement, mais existant néanmoins, était, sans nul doute, un remède à l'angoisse. Quant à la théorie d'autorités oisives — comme avait dit la fille aux lèvres carmin (en usant et abusant du terme de « divinité ») — qui nous auraient abandonnés dans cette machinerie ratée, c'était la pire de toutes, la plus cruelle, mais peut-être la plus plausible.

Les médaillons reprirent leur martèlement verbal, qui dura jusqu'au moment où ma corégionnaire et moi nous levâmes du gazon, en suivant l'exemple du faux exécutant. Alors ils se turent brusquement. Nous nous regardâmes avec stupeur; tout paraissait prouver que notre compagnon avait raison et que, d'une façon ou d'une autre, il était pour l'instant le plus apte à déchiffrer les desseins des médaillons.

– Les médaillons t'obéissent, constata, d'une voix étranglée, notre compagne.

L'ex-désigné ne répondit pas, se contentant de hausser un sourcil et de tordre sa bouche de côté en signe de prépotence.

Tandis que nous nous rapprochions du fleuve, j'observai que les arbres, sans être semblables, étaient situés à peu près aux mêmes endroits que dans l'autre champ. Il me sembla voir des fruits briller parmi les feuilles, mais je décidai d'imiter le pas résolu du faux exécutant vers le prétendu cours d'eau.

– J'espère que tu vas nous trouver quelque chose à manger, lui dis-je.

– Pas de souci, faites-moi confiance, répondit-il en prenant un air messianique.

Le terrain descendait en pente assez prononcée, et le gazon avait fait place à des herbes hautes, mais aplaties comme si un poids quelconque les avait tassées contre la terre argileuse sur laquelle nous glissions. Il y avait là un fleuve, en effet, et c'était de toute évidence celui que nous avions déjà vu. Les singes, pourtant, avaient disparu.

– Ils les ont tous tués, dit la fausse désignée avec affliction.

J'eus l'impression que notre compagnon faisait également une mine déconfite, et il me vint à l'esprit que son intention était de capturer l'un de ces animaux pour en faire notre pitance.

– On dit que leur chair est délicieuse, murmurai-je un peu déçue.

– La chair humaine est meilleure, répondit le faux exécutant. Elle ressemble, dit-on, à la viande de porc, mais avec un goût plus délicat; elle est tendre et des plus exquises.

Ma corégionnaire et moi ne disions mot; nous nous mourions de faim, et errions dans des zones indécises proches du délire.

– Il n'y a qu'à attendre, dit le faux exécutant en regardant vers la droite.

Je supposai qu'il faisait allusion aux cadavres, et un spasme de dégoût me secoua la gorge.

Une très faible musique se mit à sortir des médaillons. Y collant l'oreille, je distinguai une marche militaire. J'espérais que le volume monterait, ce qui nous permettrait d'opposer aux suggestions du faux exécutant la censure des dispositifs. Nous n'échangeâmes pas de regard, cette fois, ma compagne et moi, mais nos mains s'unirent imperceptiblement, dans une même tiédeur moite. Je me rendis compte qu'il nous faudrait mobiliser nos ultimes ressources pour tenir tête à notre corégionnaire qui disposait, prétendument, de l'appui ou de l'inspiration des médaillons.

– Il n'est pas sûr qu'ils arrivent, se risqua à dire mon ex-exécutante.

– Bien sûr que si, ils arriveront, répondit-il.

Nous poursuivîmes, chacune à son tour :

– Ce n'est pas le même endroit, les parfums sont différents…

– Il n'est pas possible qu'on ait coupé l'herbe en si peu de temps…

– On n'a pu tuer les singes si rapidement…

– Il n'y a ni eucalyptus ni chèvrefeuille, répondit notre corégionnaire.

– Je ne vois pas le rapport.

– Vous ne vous rendez pas compte? dit le faux exécutant. Tout cela est un jeu, une fabrication ; les parfums sont artificiels.

Le reste, toutefois, ne l'était pas. C'était bien le fleuve, un fleuve véritable, un peu moins tumultueux que la première fois, c'était tout ; et des arbres en vrai. En regardant leurs cimes, ma rétine fut impressionnée par des couleurs vives animées de mouvement, là-haut ; il s'agissait de perroquets d'une espèce rare, plus petits que ceux que je connaissais.

– Je sais ; il y a des perroquets, dit notre corégionnaire. Une preuve supplémentaire que j'ai raison.

– Et les cadavres, ils sont faux eux aussi? demanda mon ex-exécutante.

Les médaillons montèrent à ce moment-là le volume de leur musique guerrière.

– Il y a des choses véritables, je l'admets, dit notre compagnon. Là réside toute la complication. Et l'intérêt, ajouta-t-il.

– Des choses? Ce ne sont pas des choses! répondis-je, en pensant aux cadavres et sans savoir d'où je tirais la force de m'indigner.

On ne pouvait rien attendre d'un cadavre, aucun mot, aucun cri animal, aucun geste propre, aucun souffle respiratoire, répondit avec un calme cynique notre faux exécutant. La différence entre un cadavre et une chose, c'était juste son passé et son inexorable capacité de putréfaction, bien entendu. Mais nous lui accorderions, dit-il, que nous n'étions pas précisément en situation d'établir ce genre de différence.

– Fabriquons une fronde, proposa mon ex-exécutante.

– Il est interdit de tuer les perroquets.

– Comment le sait-il? me demanda-t-elle, comme si je pouvais lui répondre.

– Ce sont de beaux oiseaux, ils égayent le paysage, et ne dérangent même pas en jacassant. Un peu de chair enrobant des os tendres; il faudrait en tuer en trop grand nombre. Je n'aime pas tuer, dit le faux exécutant.

Je n'intervins pas, pour ne pas m'opposer à ma compagne. Nous ne disposions même pas du nécessaire pour fabriquer une fronde.

À ce moment-là on entendit des coups de feu. Des balles, brusquement, sifflèrent à nos oreilles. Le faux exécutant nous ordonna de nous plaquer à terre. D'où venaient les tirs? impossible à savoir. Il n'était d'ailleurs pas certain que nous soyons visés; quelques perroquets, foudroyés, tombèrent du haut des arbres.

– Ils nous prennent pour des *clandestins*, déclara notre compagne, en écho à ce qu'on nous avait dit dans l'autre champ.

– Peu importe, nous avons maintenant de quoi manger, répondis-je, en regardant les petits tas de plumes multicolores gisant à quelques mètres de nous.

– Il est interdit de les tuer, et aussi de les manger, dit le faux exécutant.

– Et qui l'a décrété?

En guise de réponse, notre compagnon montra alternativement, à plusieurs reprises, sa tête et les médaillons. Je le taxai intérieurement d'exagération, mais sans rien dire. Il affirma qu'il se sentait connecté, et que la preuve en était que les dispositifs avaient cessé de nous assourdir par leurs grésillements. Ceux-ci, ajouta-t-il, étaient un signal nous prévenant que nous faisions fausse route. Depuis quelque temps, comme nous l'avions certainement remarqué, les médaillons avaient cessé d'émettre ce signal : cela voulait dire que nous étions sur la bonne voie.

– Nous rapprocher du fleuve nous a mis en danger, observai-je.

– À quelque chose malheur est bon, répliqua le faux exécutant. Il n'y a plus qu'à attendre. Les tirs viennent de l'autre rive.

– Attendre quoi? demanda notre corégionnaire.

– Je l'ignore, répondit l'ex-désigné. Je sais seulement qu'il faut attendre.

Les médaillons demeuraient silencieux, ce qui avalisait, dans une certaine mesure, les dires de notre compagnon.

– Attendre comment? voulut-elle à nouveau savoir.

– Attendre en attendant, sans rien faire, toujours allongés par terre au cas où les tirs reprendraient, expliqua le faux exécutant.

– Et ça sert à quoi? demandai-je, tenaillée par la faim.

Cela servait tout simplement à ne pas nous faire tuer, dit notre corégionnaire. Il était à supposer que si nous restions immobiles, les tireurs finiraient par s'en aller.

– Ce sont les *rebelles*, ajouta-t-il.

– Rebelles à quoi, rebelles à qui?

– Au pouvoir, au Grand Café, au destin, au hasard.

– Je veux me joindre à eux, déclarai-je.

Notre corégionnaire dit que je ne le pourrais pas, que je me trouvais de ce côté-ci du fleuve et que c'était là une raison suffisante. Son débit était devenu un peu mécanique, comme s'il était le porte-voix des médaillons; quant à son regard, il semblait comme halluciné. Il y avait chez le faux exécutant une douceur de caractère qui le prédisposait à ce genre de phénomène, pensai-je.

– Nous avons hérité du destin de « victimes innocentes », ajouta-t-il. Tout ce que nous pouvons faire, c'est de l'atténuer. Notre parcours démontre que tel est notre rôle, aucun doute à cela. Mais il y a, dans l'immédiat, quelque chose à faire pour éviter d'être tués, quelque chose d'élémentaire : rester terrés là.

– Non, ce n'est pas vrai, contestai-je, notre rôle est celui de complices.

– Elle veut se joindre à eux, celle-là, pour pouvoir nous tuer, dit, avec une rancœur et une haine subites, mon ex-exécutante, qui prenait décidément l'habitude d'éviter de s'adresser en face à son adversaire du moment.

Notre corégionnaire affirma une nouvelle fois que peu importait, en l'occurrence, d'être « complice » ou « victime innocente »; l'élément indiscutable, c'était la localisation physique, voire géographique, correspondant à ces rôles : nous étions de ce côté-ci du fleuve, et appartenions, de ce seul fait, au camp ennemi.

– Les dindons de la farce, ajouta-t-il.

– L'expression nous va comme un gant, dis-je; des dindons crevant de faim dans une sinistre farce. Ceux de l'autre rive ont bien raison de se révolter. Je veux rejoindre leurs rangs, répétai-je, je ne veux pas être complice de tout cela.

– Dans cette humanité tripartite nous ne sommes pas des complices, dit le faux exécutant, avec sa nouvelle voix. Nous sommes des victimes, c'est évident.

– Mais rien ne nous oblige à accepter ce rôle, répondis-je plus faiblement. On peut toujours se révolter.

– Tripartite? demanda avec un léger décalage mon ex-exécutante.

– Victimes, bourreaux et complices, répondit notre corégionnaire.

Je voulus me redresser, pour agiter un mouchoir blanc, mais à peine avais-je ébauché ce geste que les médaillons firent entendre leur sifflement suraigu qui perçait le tympan. Cela acheva, au moins, de me convaincre de la communication étroite qui existait entre le faux exécutant et les dispositifs.

– Les médaillons, qui s'expriment à travers toi, dis-je alors à notre compagnon, veulent nous faire croire qu'il est inutile de se révolter. Ils prétendent tout présenter comme « hasard » et « destin »; ils préconisent la résignation.

Le comportement des médaillons, c'était indéniable, avait changé du tout au tout, réfléchissait maintenant ma compagne. Des ordres, ils en étaient venus aux conseils. Tout se passait comme si, après les épreuves précédentes, nous avions atteint une étape ou un stade supérieur où l'initiative nous revenait, les dispositifs se limitant, par leurs stridulations, à nous signaler si notre décision était ou non la plus adéquate.

– Les médaillons ne nous signalent rien, protestai-je. Ils nous obligent, en nous assourdissant, à changer d'orientation. La tyrannie est la même.

Mes compagnons pensaient tous deux que les dispositifs avaient adopté une conduite plus ouvertement bienveillante à notre égard. Nous étions, peut-être, tombés sur des médaillons de la catégorie des bons ; c'était un fait qu'ils s'efforçaient de nous aider et de nous protéger.

Mes corégionnaires n'avaient pas entièrement tort et, pour le moment, je ne savais trop que penser. Une chose était claire, malgré tout, et c'était que si je me redressais, une balle pourrait bien mettre un point final à mes doutes.

Quelques minutes plus tard, notre compagnon se relevait, dans un contexte sonore dont étaient absents aussi bien le sifflement des médaillons que celui des balles. Nous ne pûmes que l'imiter.

Au fil du fleuve descendaient, comme la première fois, des embarcations pleines à craquer. Mais, cette fois-ci, le courant était moins fort et nous pouvions, les passagers et nous, nous observer mutuellement. Beaucoup mangeaient des sandwiches. Une plainte nous échappa :

– Nous avons faim !

– Attendez les secours, nous crièrent-ils, ils ne sauraient tarder.

Quelques-uns nous jetaient des croûtons de pain, que nous disputions aux perroquets.

On leur dit, d'une autre barque, de ne pas nous donner de nourriture, nos médaillons montrant que nous étions des privilégiés. Tout comme le gazon. Nous nous trouvions dans un jardin ; nous étions riches, affirma-t-on, avec de la haine dans la voix. C'est « l'autre rive », il ne faut pas l'oublier, entendîmes-nous aussi.

Les croûtons, bien qu'en moins grand nombre, continuèrent néanmoins à pleuvoir.

– D'où venez-vous ? demanda le faux exécutant à des passagers dont le regard était plus curieux qu'hostile. Il vira à la stupeur. Nous ne savions vraiment pas ? Dans quel monde vivions-nous ?

– Vous avez raison, dit l'un d'eux. Ce n'en est jamais qu'une de plus.

Ils se mirent à rire, mi-amusés mi-goguenards, un rien de condescendance dans les yeux.

– Une de plus, répéta le faux exécutant, pensif. Guerre ou catastrophe ? insista-t-il.

De sonores éclats de rire secouèrent l'embarcation.

– Si c'était grave, ils ne riraient pas autant, dit ma corégionnaire.

– C'est la première fois depuis des semaines et des semaines, répondit une femme dans le bateau.

– Où allez-vous ? leur demandai-je.

Ils ne le savaient pas exactement. Ils étaient escortés et supposaient qu'on leur dirait bien où ils pouvaient débarquer. Ils s'éloignaient, c'était tout, jusqu'au moment où on leur donnerait la consigne de s'arrêter. Ils se mirent à discuter entre eux ; certains disaient qu'ils pourraient débarquer quand ils le voudraient, car ils échappaient au contrôle de l'escorte qui était assez loin.

Il ne tarda pas à se former deux groupes dans l'embarcation, qui n'avançait plus, immobilisée à quelques encablures de la rive ; les rameurs faisaient partie de ceux qui voulaient débarquer là. Il y avait trois groupes en réalité, comme d'habitude, pensai-je ; le troisième était formé par ceux qui ne se prononçaient pas. Ceux qui voulaient débarquer disaient que cette terre avait tout l'air d'être prospère, et différait totalement de celles par où ils étaient précédemment passés. Le paysage, chose remarquable, s'était soudain amélioré, annonçant l'opulence et le calme, déjà manifestes en ce jardin à la pelouse si soignée. Ceux de l'autre groupe les traitaient de fous : ne nous avaient-ils pas entendus quémander de la nourriture ? ne voyaient-ils pas avec quel acharnement nous disputions les morceaux de pain aux perroquets ? Il sautait aux yeux, répliquaient les autres, qu'il s'agissait d'une circonstance particulière ; nos vêtements et toute notre apparence physique montraient que nous n'étions pas pauvres, et encore moins misérables. Justement, répliquaient ceux du deuxième groupe, on assistait là, sans équivoque, à un phénomène de paupérisation. Non, répondaient les autres, ce n'était qu'un accident ponctuel, peut-être même personnel ; nul signe, dans ce paysage, de profondes blessures collectives. Il y avait tout lieu de penser — argumentaient encore ceux qui voulaient débarquer — que nous étions en fait des simulateurs, rétribués pour feindre de mourir de faim, décourageant ainsi toute possible immigration. Ces médaillons qui brillaient au soleil étaient une preuve de plus que nous étions loin d'être des malheureux. Ceux de l'autre groupe déclarèrent qu'on ne pouvait imputer à la seule faim nos traits tirés et nos cernes profonds. Trouvaient-ils normaux, pour un jardin, ces hauts grillages propres à des camps de prisonniers? Quant aux médaillons, pourquoi ne seraient-ils pas un des signes distinctifs généralement portés par ces derniers? Impossible, leur renvoyaient les autres : on pouvait facilement enlever des médaillons. Si nous les conservions, ce devait être parce qu'ils symbolisaient un quelconque privilège.

– Ils feignent la faim, répéta celui qui l'avait déjà dit, et ils feignent aussi l'égarement et le désespoir.

– Si tel était le cas, dit une femme de l'autre groupe, ils cacheraient leurs médaillons pour couper court au doute, pour que personne ne puisse les croire riches.

– On peut dire quelque chose? cria mon ex-exécutante.

Ceux de l'embarcation tournèrent la tête vers nous, en sursautant, comme s'ils se rappelaient tout à coup notre présence.

– Nous ne feignons rien, nous ne sommes pas prisonniers, et nous avons faim.

Un beau charivari s'éleva du bateau, toujours arrêté, tandis que d'autres embarcations continuaient à apparaître, à arriver à sa hauteur, à le dépasser. On analysait, parmi les passagers, chacune des propositions de notre corégionnaire, comme on l'aurait fait de l'énigme du Sphinx. Ceux du premier groupe, évidemment, baissaient le nez, vu l'eau que mon ex-exécutante venait d'apporter au moulin de leurs contradicteurs.

– Nous avons faim mais nous ne sommes pas pauvres, dit notre compagnon, dans l'intention de fournir un élément d'appréciation supplémentaire.

La balance pencha à nouveau du côté de ceux qui voulaient débarquer.

Je dis à mon tour :

– Il n'est pas sûr que nous ne soyons pas prisonniers.

Et la discussion repartit; certains suggérèrent un vote, mais d'autres déclarèrent que c'était absurde, que ceux qui voulaient débarquer n'avaient qu'à le faire.

Ce fut alors que je commis l'erreur de leur annoncer que ce jardin était une dépendance du Grand Café. La décision des passagers fut précipitée et unanime. Le bateau se mit en mouvement, dirigé vers la côte avec l'assentiment général.

Ils n'avaient pas plus tôt touché terre qu'ils furent abattus par de foudroyantes rafales de mitraillettes, qui ne venaient pas de l'autre rive mais du champ lui-même, derrière nous. C'était la première fois que j'assistais à la mort violente de mes semblables. Mes corégionnaires également, à en juger par l'état d'hébétude où ils se trouvèrent plongés.

Nous tardâmes un certain temps à récupérer les vivres mis à l'abri au fond du bateau, qui maintenant se balançait mollement sur la rive du fleuve. Les embarcations avaient cessé de passer.

Tirant des sacs en plastique toutes sortes de victuailles, nous y plantâmes une dent vorace, sans nous laisser dissuader par la présence des cadavres criblés de balles qui gisaient sur la berge à côté de nous. Peu après ronronna dans notre direction un canot à moteur, et il en descendit des gens vêtus d'un uniforme hybride, tout à la fois de militaire et d'infirmier. Notre tentative de dialogue se révéla infructueuse. Sans mot dire, sans nous adresser un regard, ils entassèrent les cadavres sur le canot et les emportèrent.

Après les premières bouchées, une fois notre faim un peu apaisée, nous prîmes la décision de nous éloigner de la rive, lieu de tous les dangers, et de nous enfoncer à nouveau dans la campagne. Nous nous assîmes sous un arbre pour poursuivre notre repas.

– Maintenant tout est clair : nous avons été complices, attaquai-je.

– Nous avons été des instruments, rectifia le faux exécutant. Et, par conséquent, des victimes.

– Instrument est plus près de complice que de victime, répliquai-je.

– C'est le contraire, répondit le faux exécutant.

La discussion montrait, observa notre corégionnaire, que notre théorie d'une humanité tripartite était des plus réductrices. Il y avait quantité de catégories, des nuances entre elles, des mélanges, des éléments des unes et des autres, etc…

Je fis remarquer que les médaillons n'avaient pas émis le moindre bourdonnement devant nos actions ou nos paroles, ce par quoi ils avaient, en toute connaissance de cause, cautionné des comportements destinés à déboucher sur l'assassinat auquel nous avions assisté. Ils étaient dépourvus de toute morale, dis-je en conclusion.

– Ils n'ont qu'un désir, celui de nous protéger, répondit notre compagne qui, à son habitude, caressait le sien du bout de son index.

C'est à eux que nous devions, non seulement d'être sortis indemnes de la fusillade, mais aussi d'avoir fini par trouver de quoi nous sustenter, ajouta-t-elle.

Le prix à payer était exorbitant, rétorquai-je. C'est par notre faute que les gens du bateau avaient été exécutés. Et la plus responsable de tous, c'était moi, qui avais mentionné le Grand Café. La preuve avait été faite de la renommée sinon mondiale, du moins nationale, de celui-ci. D'anciennes conversations avec Marilyn et Wilfredo me revinrent à l'esprit, comme si elles surgissaient d'un passé lointain. Le souvenir de Juan de Menda fit monter à mes lèvres, du tréfonds de mon être, un sourire évanescent.

– C'étaient les *clandestins*, dit mon ex-exécutante. Et les rafales venaient d'ici.

Les fruits que j'avais cru voir en passant sous les arbres étaient — nous nous en rendions compte à présent — les engins de guerre qu'on installait dans l'autre champ.

– L'autre champ, ou le même? se demandait notre corégionnaire.

Couché sur la pelouse, les bras en triangle soutenant sa tête, il regardait vers le haut, entre les branches du grand arbre sous lequel nous nous étions assis pour finir notre repas. Là se trouvaient les radars perfectionnés à longue portée, et les caméras sensibles à la chaleur des corps.

D'après le faux exécutant, ceux qui avaient abordé à côté de nous n'avaient pas été tués pour de bon : c'étaient des cartouches à blanc, le gazon n'était pas du gazon : tout était pure mise en scène. Les gens du bateau n'étaient pas des clandestins, mais des clients du Grand Café désignés par le sort pour naviguer sur des eaux tumultueuses ; ou peut-être les rebelles qu'on menait aux ascenseurs.

Ma compagne et moi écoutions sans grande conviction cette théorie. Nous pensions que le faux exécutant se l'était fabriquée par incapacité d'accepter la douleur, la mort, les inégalités, la mauvaise conscience.

Comment expliquer alors, argumentait-il, l'absence de réaction des radars à longue portée et des caméras détectrices de chaleur humaine face à nous, qui nous tenions depuis un moment au bord du fleuve? Par ailleurs, ne trouvions-nous pas étranges les plaisanteries des passagers, quand tout n'était que désolation?

Les radars étaient si perfectionnés qu'ils pouvaient être sélectifs. La technologie avait atteint des sommets insoupçonnés; en cas d'extrarégionnaires, on pouvait même concevoir la possibilité, pour les radars, de détecter un ADN étranger, objecta notre compagne. Quant à l'humour, il n'était nullement incompatible avec l'adversité, tout le monde le savait; c'était même une arme des plus efficaces pour la surmonter.

J'étais en désaccord, autant avec les suppositions de mon ex-exécutante qu'avec celles de mon corégionnaire, mais non pour leur côté possiblement délirant ou invraisemblable. Mes divergences venaient surtout, expliquai-je, de ce que leurs théories supposaient un système tournant exclusivement autour de nous. Ils semblaient dire que tout avait été fabriqué exprès pour nous confronter, dans ce champ, à diverses expériences, les autres n'étant que des fantoches sans destinée propre.

– Des fantoches, c'est un peu péjoratif, répliqua le faux exécutant, plutôt des acteurs, disons; c'est là leur destin, précisément. Ils montent toujours la même pièce. Le théâtre et la vie ne diffèrent pas tellement, nous le savons depuis des siècles. Et ce sont de si bons acteurs qu'ils croient eux-mêmes à ce qu'ils jouent, et nous le font croire.

Je passai ma main sur le gazon et sentis que ce n'était pas de l'herbe, en effet; mais une matière inconnue de moi; un matériau synthétique tenant du papier et du plastique, mais certainement pas une matière organique. Je grattai avec mes ongles, sans voir s'y incruster le moindre atome de terre. Voilà qui donnait raison à notre corégionnaire. Je tendis la main vers la marguerite qu'à un moment ma compagne s'était mise dans les cheveux, et me rendis compte, en revanche, qu'elle était vraie; il me resta sur les doigts une trace de pollen jaune.

Pourtant, les cadavres que nous avions vus quand nous étions dans l'autre champ ne pouvaient être des simulacres, disait mon ex-exécutante.

Notre corégionnaire avait maintenant des doutes à ce sujet ; à aucun moment l'air n'avait cessé d'embaumer. Peut-être l'horreur nous avait-elle empêchés de les observer en détail. Il pouvait fort bien s'agir de gens maquillés faisant simplement la planche.

Les médaillons déclenchèrent à ce moment-là leur cri-cri perçant.

– Il faut partir, vite ! cria le faux exécutant en se relevant à la hâte.

Nous l'imitâmes et, presque aussitôt, des balles se remirent à siffler autour de nous, en provenance du fleuve ou de l'autre strive ; nous n'étions capables de les entendre, au milieu de la stridulation assourdissante des médaillons, que parce qu'elles frôlaient nos oreilles. Nous nous mîmes à courir vers l'endroit par où nous étions sortis, pour nous trouver en face d'une rangée de cinq ou six portes presque en alignement, que nous n'avions pas vues auparavant, ou qu'on avait installées là pendant que nous étions au bord du fleuve. Nous ne savions laquelle il fallait ouvrir, et les médaillons ne nous étaient d'aucun secours, avec leurs sifflements aigus, qui avaient l'air de signifier, au contraire, qu'ils censuraient notre comportement. Les coups de feu s'espaçaient mais, de temps en temps, en essayant d'ouvrir une des portes, il nous arrivait de voir s'y ficher une balle sporadique et on ne peut plus réelle, comme nous pouvions le constater.

Malgré le temps qu'il faut pour le raconter, tout se passait simultanément — dirais-je, quand je les reverrais, à Marilyn et Wilfredo —. Cela n'avait donc duré que quelques minutes, heureusement. Autrement, nous risquions la mort, ne serait-ce que d'une overdose d'adrénaline.

J'eus soudain une illumination ; saisissant la main de ma compagne, je la posai contre la mienne sur l'une des poignées, de la même façon que nous l'avions fait pour sortir. Les médaillons cessèrent de siffler et la porte céda, nous laissant passer de l'autre côté, sains et saufs.

Nous nous retrouvâmes dans le même lieu ; le couloir qui s'étendait derrière nous était toujours là, ainsi que les trois portes, dont une seule devait rester disponible, mais personne n'essaya, pour l'instant, de le vérifier.

Mon ex-exécutante se plaignit, sur un ton de reproche, d'avoir risqué sa vie, et nous la nôtre, pour finir par en revenir au même point. Les deux possibilités précédentes s'offraient à nous, quasiment identiques : rebrousser chemin le long du couloir, comme elle l'avait suggéré, ou bien ouvrir la troisième porte. Enfin unanimes, nous penchions pour la première option : la porte ne nous disait rien, car nous soupçonnions qu'elle devait mener au même endroit, à quelques variantes près, et nos expériences précédentes, après avoir ouvert les deux autres, ne laissaient présager de la troisième rien de bien favorable. Restait la possibilité de soulever les tentures et de retourner dans la grande remise, mais cette option, elle non plus, n'enthousiasmait personne.

Comme les médaillons se taisaient, il semblait évident que nous devions faire usage de notre libre arbitre, postula notre corégionnaire. Auquel cas, ils nous donnaient le choix ; nous pouvions, à notre gré, aller explorer ce qu'il y avait derrière la porte, ou pas. Le faire nous permettrait de capitaliser une nouvelle expérience, à moins d'y laisser notre peau. Là était la question.

De toute façon, rien n'était assuré ; la troisième porte était peut-être la voie vers la vraie sortie, et nous ne pouvions affirmer avec certitude que remonter le couloir soit faire marche arrière ; nous avions largement pu, en d'autres occasions, apprécier la capacité de métamorphose du Grand Café.

– Reprenons le couloir, dis-je, en détachant mes mots, de façon à donner aux médaillons le loisir de réagir et d'émettre, le cas échéant, leur sifflement réprobateur.

Mais ils restèrent silencieux, aussi considérâmes-nous qu'ils nous donnaient leur approbation.

Nous avions beau avancer, le couloir demeurait égal à lui-même, sans la moindre ouverture du côté du gros mur suintant d'humidité. Les épaisses et lourdes tentures, quant à elles, formaient une autre cloison, plus perméable, à travers laquelle nous parvenaient des bruits et des cris qui nous étaient désagréablement familiers, et dont nous n'avions aucun désir de nous rapprocher.

– Nous aurions peut-être mieux fait de rester dehors, murmura à ma grande surprise mon ex-exécutante.

Tout n'avait pas été négatif, en effet. Il me sembla que ma compagne regrettait le soleil et le grand air qui nous avaient baignés de leurs effluves ; mais elle déplorait, en réalité, le peu d'attention que nous avions prêtée aux véritables desseins des médaillons. Elle rappela qu'ils avaient éperdument sifflé pendant tout le dernier épisode, après la proposition de fuite de notre corégionnaire. Nous avions manqué la vraie sortie.

– Ce n'est pas à ce moment-là qu'ils se sont mis à siffler, rétorquai-je. C'est quand il a affirmé que les cadavres pouvaient être des gens maquillés faisant la planche.

Le faux exécutant se taisait à présent, de même que les dispositifs. Difficile de savoir si c'était une manifestation de plus de sa connexion avec eux, ou le signe qu'il renonçait désormais au rôle qu'il avait pensé être le sien dans le champ ; peut-être encore se sentait-il coupable de nous avoir exposés, par son ordre inadéquat, à une situation aussi périlleuse.

Notre compagne ne cessait de le harceler sans pitié. Il avait vu, comme nous, les balles véritables s'enfoncer dans les portes métalliques. Comment pouvait-il encore soutenir que tout n'était que faux-semblant? On avait bien tenté de nous tuer, il ne pouvait dire le contraire.

Le faux exécutant ne répondant pas, j'observai, à sa place, qu'on nous avait visés si maladroitement que c'en était suspect. Nous étions trois, une des balles aurait pu ne serait-ce qu'égratigner l'un d'entre nous. N'empêche que les dispositifs, semblait-il, avaient cessé d'être une protection absolue.

Il n'était pas facile d'interpréter les interventions des médaillons. Nous avions erré d'une théorie à une autre ; beaucoup se contredisaient. Tout cela devait être arbitraire, finalement, ou bien s'agissait-il d'un mauvais fonctionnement des dispositifs.

– Penser de la sorte est une solution de facilité, décréta mon ex-exécutante.

Les médaillons, d'après elle, avaient réagi contre la tentative de notre corégionnaire de nier la mort, la douleur, la guerre, l'abominable.

Rien n'était plus douteux que l'existence d'une morale chez les dispositifs, contestai-je. L'opinion courante qu'ils étaient liés au hasard, qu'ils en étaient vraisemblablement l'instrument, en était une preuve suffisante.

Mais tout cela, pour elle, ne pouvait être gratuit; probablement voulaient-ils nous enseigner quelque chose, nous rendre conscients, justement, des notions de hasard et de responsabilité.

– Voulaient-ils? vraiment?..., demanda notre corégionnaire.

– On n'aboutira à rien, en continuant comme ça, dis-je, coupant court à une discussion qui, une fois de plus, ne nous mènerait nulle part.

Le couloir donnait effectivement l'impression d'être infini, éternellement égal à lui-même.

– Si maintenant les médaillons ne disent rien, conjectura le faux exécutant sans renoncer à sa manie interprétative, c'est qu'ils ont pensé que nous allions nous rendre compte par nos propres moyens de ce qu'il convient de décider. Il n'y a pas de temps à perdre, je crois, ajouta-t-il en s'arrêtant dans le couloir.

Mon ex-exécutante n'opposa aucune résistance, et moi pas davantage : il était clair que la seule chose que nous avions à faire, au point où nous en étions, était de revenir sur nos pas et d'essayer d'ouvrir la troisième porte. La situation donnait raison à la sagesse des nations, telle qu'elle s'exprime dans le dicton « jamais deux sans trois », dit la fausse désignée. Je surenchéris en brandissant cet autre : « la troisième fois est la bonne ». Cela nous redonnait espoir, intervint notre compagnon : à la troisième tentative, nous trouverions la sortie. Cela nous suggérait plutôt, nuançai-je, que nous étions dans l'obligation de la trouver. Dans le cas contraire, nous resterions à jamais prisonniers du Grand Café, soit dans le champ, soit dans le couloir sans fin qui ne menait nulle part.

Le trajet de retour aux portes nous parut plus court, comme il arrive souvent, que celui qui nous avait menés jusqu'à ce point anodin du couloir, vraisemblablement identique à tous les autres, où nous nous étions arrêtés.

Restait, à présent, un nouveau problème à résoudre : qui devrait ouvrir la troisième porte? Il va sans dire que notre souci de trouver par nous-mêmes la solution, avant de décider le moindre geste, venait du bruit infernal, qui retentissait encore à nos oreilles, émis par les médaillons, en réaction, fallait-il supposer, à nos initiatives malheureuses. Les décibels avaient atteint, je crois, sinon dépassé, un seuil critique ; je remarquais chez mes corégionnaires et moi une baisse de l'acuité auditive et me demandais même si nous n'en garderions pas des lésions définitives aux tympans. Mais comme ils pouvaient bien, par ailleurs, redéclencher leur sifflet déchirant pour nous pousser à agir, comme ils l'avaient fait d'autres fois, il valait mieux ne pas trop tarder à se décider.

Étant donné que la première porte — celle du milieu — avait été ouverte par le faux exécutant, et la deuxième — celle de droite —, par ma compagne et moi en même temps, la situation était asymétrique, et sa résolution délicate. Dans notre façon de procéder, il était primordial d'éviter — pensaient mes corégionnaires — tout déséquilibre. Par exemple, aucun de nous ne devrait actionner la poignée de la troisième porte tout seul — disaient-ils —, puisque ce serait intervenir deux fois dans notre destin, contre une seule fois pour les autres. Deux options différentes semblaient les plus logiques : la première nous faisait à nouveau appuyer ensemble sur la poignée, ma corégionnaire et moi. L'équilibre recherché serait ainsi respecté, supposaient-ils, chacun de nous intervenant dans les mêmes proportions. L'ouverture de la première porte par notre corégionnaire avait une valeur pleine et entière, que nous avions toutes les deux partagée en ouvrant la deuxième, et compléterions en répétant l'opération avec la troisième, raisonnaient-ils.

L'autre option — celle que je préconisais — consistait à placer simultanément nos trois mains sur la poignée. Cette possibilité s'appuyait, non plus sur un prétendu équilibre de nos interventions respectives, mais sur une logique de l'énigme, pour ainsi dire, qui n'enthousiasmait pratiquement que moi. Le nombre trois, déjà présent pour ce qui était des portes et de nous-mêmes, devait se retrouver dans nos mains unies actionnant la troisième poignée. La première porte avait été ouverte par une seule main, la deuxième par deux ; il était logique que la troisième le soit par trois. Mes corégionnaires se montraient quelque peu réticents, mais finirent par être convaincus par un détail qui avait son importance : ni mon ex-exécutante ni moi-même ne nous rappelions laquelle de nos mains respectives avait, la première, saisi la poignée, avant d'être rejointe par la main de l'autre pour exercer ensemble la pression nécessaire.

Pour respecter l'équilibre si désiré, selon leur théorie, il aurait aussi fallu tenir compte de ce détail oublié, afin d'inverser l'ordre de nos mains.

Prenant enfin notre décision, nous optâmes pour ma proposition et passâmes à l'acte, après avoir compté en chœur jusqu'à trois, pour être bien certains de la simultanéité de notre mouvement.

Les médaillons ne firent pas entendre le moindre grésillement lorsque nous appuyâmes ensemble sur la poignée, en y plaçant nos mains dans un ordre aléatoire qui n'eut, apparemment, aucune incidence sur l'ouverture de la porte. Celle-ci s'ouvrit des plus facilement, ce qui ne fut pas sans entacher d'inutilité nos cogitations préalables. Et nous fîmes une fois de plus irruption, comme prévu, dans le même champ, ou sa parodie, avec une extrême brusquerie due à la violence disproportionnée de notre élan. La porte n'ayant pas opposé de résistance, nous déboulâmes dans le champ en nous bousculant et en ne reprenant notre équilibre qu'à grand-peine.

Le ridicule de la scène se trouva redoublé par la présence de spectateurs : nous n'étions pas seuls, cette fois. Un groupe de personnes assises en rond tourna la tête vers nous, mais tous ne semblèrent pas amusés par la situation. On pouvait lire sur la plupart des visages une certaine anxiété, un tracas, incompatibles avec la perception de tout effet comique. À notre vue, quelques-uns — qui portaient des médaillons — se relevèrent, et deux ou trois s'approchèrent même en courant pour essayer d'ouvrir la porte ; mais celle-ci, comme toujours, s'était refermée derrière nous, et leur tentative fut vaine, évidemment.

Nous assistâmes alors au phénomène qui s'était sans doute produit les autres fois, mais que notre attention, accaparée par l'espace extérieur inondé de soleil et la nature silencieuse du phénomène, nous avait empêchés de remarquer : la porte se mit à glisser comme sur des rails en léger arc de cercle, faisant place à un mur sans aucune ouverture, à la petite base supérieure de ce que nous avions identifié comme une forme trapézoïdale lorsque nous étions sortis dans le premier champ. La paroi était aussi haute, lisse, impossible à escalader que précédemment et le même grillage, tout là-haut, la surmontait.

– Soyez les bienvenus ! dit quelqu'un dans le groupe.

Nous nous approchâmes, constatant qu'ils n'avaient pas tous de médaillons. Nous sûmes bientôt pourtant qu'ils venaient du Grand Café et appartenaient, avec ou sans dispositifs, à la catégorie des désignés. Beaucoup avaient jeté leur médaillon au fleuve en signe de cette même révolte qui, apprendrions-nous par la suite, les avait fait déboucher dans ce champ.

– Chose curieuse, commenta l'un d'eux, les médaillons flottent.

– C'est ce que j'ai toujours pensé, murmura à côté de moi mon ex-exécutante : on nous a rejetés, nous sommes avec les exclus.

Je ne lui répondis pas, manquant encore d'éléments pour apprécier la situation, et ignorant quelle trajectoire avaient suivie, au juste, les corégionnaires présents dans ce champ. Ce n'était d'ailleurs pas le seul groupe ; à quelques mètres de distance, et séparés entre eux, deux autres groupes méditaient, leurs membres également assis en rond. Je ne vis pas le moindre médaillon briller à leur cou ; ce détail et un je ne sais quoi dans leur aspect me fit penser qu'il ne s'agissait pas de la clientèle du café.

Des bouffées d'eucalyptus et de chèvrefeuille parvenaient alternativement à mes narines. Je regardai alentour : une partie du champ était couverte de gazon, tout aussi synthétique que le précédent, probablement ; mais plus près du fleuve on voyait de hautes herbes ponctuées de coquelicots et de marguerites ; les arbres occupaient les mêmes emplacements. Je ne sus s'il s'agissait du même champ ou d'un autre ; celui-ci, en tout cas, comportait des éléments mêlés des deux précédents. Il avait, malgré tout, sa personnalité propre : il était très peuplé ; les gens ne se trouvaient pas exclusivement sur le fleuve, comme les autres fois. Ce dernier en revanche, de loin, semblait paisible ; le soleil s'y reflétait avec des fulgurances estivales éveillant chez moi le souvenir d'un bonheur possible.

– On les voit briller d'ici, répondit un corégionnaire à celui qui avait observé que les médaillons flottaient.

– C'était bien la peine de les jeter ! dit un des désignés. Leur vue suffit à rappeler inlassablement à leurs porteurs qu'ils existent.

– Attendez ! prononcèrent tout à coup les médaillons de plusieurs d'entre eux.

Les nôtres, peut-être stimulés par leurs homologues, retrouvèrent subitement la parole, et se remirent à ordonner :

– Cherchez !

L'air s'emplit des éclats de rire moqueurs de ceux qui n'avaient pas de médaillon.

– Et ces machins qui flottent sur le fleuve, ils parlent aussi? interrogèrent-ils d'un ton narquois, avec l'air de prendre leur revanche.

Nous apprîmes que ce groupe était formé de ceux qui avaient été conduits aux ascenseurs par les clients assignés à la répression. Beaucoup, cependant, déclaraient qu'on les y avait traînés par pure méprise, ou traîtrise, ou sous le coup d'abjectes dénonciations sans fondement motivées par une foule de raisons possibles qu'il était inutile d'énumérer. L'ascenseur qui leur échut ne menait pas à un sous-sol, comme ils le supposaient tous, mais à un niveau supérieur à celui de la remise. À l'arrivée, le sol s'était brusquement dérobé, les faisant basculer dans un cylindre creux de grande taille. À l'intérieur de l'énorme tuyau coulait une eau tumultueuse imprimant une assez forte vitesse à leur chute inexorable. Cela n'était pas très différent des gros tubes en usage dans les parcs d'attractions aquatiques, précisèrent-ils, la ressemblance était même frappante. Mais ce n'était pas, fallait-il le préciser? le sort de tout le monde. Certains rebelles étaient emmenés dans des ascenseurs qui descendaient ; d'autres parvenaient à y échapper complètement. Quant à eux, ils n'étaient pas tous des insurgés, à proprement parler. J'en déduisis que ceux qui avaient conservé leur médaillon étaient sans doute des non-rebelles.

Le cylindre avait débouché sur une plage au bord du fleuve, où les attendaient quelques canots. Des gens armés les avaient obligés à y monter et à partir dans le sens du courant. Je pensai aux tubes que nous avions vus en sortant dans le premier champ, à travers les mailles serrées du grillage. Notre corégionnaire avait dit qu'ils produisaient les éclaircies du Grand Café. Ou bien c'était là une hypothèse erronée, ou bien, parmi les nombreux cylindres que nous avions aperçus, tous ne jouaient pas le même rôle.

– Il y avait d'autres tubes, dit un des désignés, mais un seul semblait cracher des gens.

Je jetai un coup d'œil au faux exécutant : il rayonnait de satisfaction triomphante.

Ils n'avaient pas navigué longtemps, poursuivirent nos interlocuteurs ; juste ce qu'il fallait pour se soustraire à la vue de ceux qui les avaient forcés à monter dans les canots. En arrivant à la hauteur du champ, les médaillons des corégionnaires qui les avaient conservés s'étaient mis à dire « Attendez », à intervalles réguliers. Ils n'avaient, jusqu'à notre apparition, aucune idée de l'endroit où ils se trouvaient ; c'est nous qui leur avions révélé qu'il s'agissait toujours du Grand Café. Les deux autres groupes se trouvant dans le champ avaient débarqué après eux : ils ne faisaient pas partie de la clientèle.

– Dans ce champ même, ou dans un autre très semblable, nous avons vu des cadavres, dit mon ex-exécutante, sur un ton qui demandait confirmation.

Rien d'étonnant à cela, lui répondit-on ; nous étions dans une zone de conflits aigus en tous genres, se déroulant principalement autour du fleuve. Sans aller chercher plus loin, un des groupes que nous pouvions voir là, dans le champ, était formé de clandestins, comme on les appelait. L'autre se composait de *rebelles* dissidents. Avant notre arrivée, ils avaient eu l'occasion de parler avec des membres de chacun des groupes, et avaient appris bien des choses.

– Les clandestins veulent entrer au Grand Café ? demanda ma compagne.

Ils voulaient apparemment entrer n'importe où, plutôt que de rester dans leur pays affligé de toutes sortes de misères. Ils étaient originaires de la même région que nous.

– Si ce sont des corégionnaires, ils ne peuvent être des clandestins, observai-je.

– Une chose est la théorie et une autre la pratique, répondit un des présents.

– Les autres, les rebelles, ce sont aussi des corégionnaires ? demanda le faux exécutant.

Ils le sont tout en s'en défendant. Enfin, ils s'en défendaient ; mais ils avaient maintenant retourné leur veste. Ils étaient natifs de la rive d'en face qui, nous l'ignorions sans doute, appartenait à une île, nous informa-t-on ; une île au milieu du grand fleuve. Une partie de ses habitants revendiquait l'indépendance et avait pris les armes : c'étaient eux qu'on appelait les rebelles.

– Cherchez! répétèrent nos médaillons.

Cet ordre nous fit sursauter, mais un accord tacite se conclut aussitôt entre mes compagnons et moi : il nous était impossible d'agir sans disposer de plus d'éléments sur les acteurs en présence dans ce champ.

– Attendez! dirent leurs médaillons, comme pour répondre aux nôtres.

Bien qu'adressé à leurs porteurs, nous interprétâmes cet ordre comme un soutien à notre propre expectative.

Le groupe de rebelles qu'on voyait là était, en réalité, constitué d'ex-rebelles, poursuivit l'un de nos interlocuteurs. Ils craignaient maintenant de retourner dans l'île, car on les accuserait, dans certain secteur, d'être des traîtres. Le découragement avait gagné beaucoup d'entre eux, qui ne croyaient plus aux luttes qui les avaient portés jusque là; ils ne croyaient plus en aucun combat. Le monde avait changé, disaient-ils, les temps étaient autres. À un moment, ils s'étaient mis à discuter avec les clandestins, qui n'étaient pas tout à fait d'accord pour baisser les bras. Leur propre grève de la faim, par exemple, avait été assez efficace, affirmaient-ils; la preuve, ils étaient là sains et saufs. Les ex-rebelles rétorquaient qu'ils avaient entendu dire qu'il y avait eu beaucoup de morts parmi les clandestins grévistes, et qu'on parlait même de manipulation : des meneurs malhonnêtes et corrompus les avaient poussés à mourir de faim pour trancher le problème à la base. Les actions collectives finissaient toujours par être détournées, utilisées à d'autres fins, et les photos de leurs leaders imprimées sur des T-shirts, avait dit un des ex-rebelles. Lui ne voulait pas se prêter à ce genre de commerce.

– Nos insurgés à nous, conclut presque avec attendrissement le client qui parlait, en désignant ceux qui ne portaient pas de médaillon, sont plus « rebelles » que ceux-là.

Quant aux cadavres, nous devions maintenant le comprendre, il pouvait s'agir aussi bien de clandestins que de rebelles; ce n'est pas les raisons qui manquaient pour cela, affirma-t-il en regardant mon ex-exécutante, qui avait posé la question. Ce pouvaient être les clandestins morts d'inanition à la suite de leur grève de la faim, ou abattus par d'anciens gardes frontières; ce pouvaient être aussi des rebelles exécutés par des soldats. Ce n'était pas la seule possibilité, affirma quelqu'un d'autre. Il ne fallait pas oublier l'existence d'une série d'épidémies et de catastrophes en tout genre, inondations, glissements de terrain et maladies nouvelles imputables à l'alimentation.

– Les cadavres portaient des médaillons, précisa mon ex-exécutante.

Un silence gêné gagna l'assistance. Beaucoup marmonnèrent des paroles incompréhensibles, les yeux rivés au sol.

– Connaissez-vous Juan de Menda? demanda ma compagne, brisant le relatif silence.

Quelques-uns avaient entendu parler de lui; c'était un insurgé, dirent-ils. Un traître, ajoutèrent d'autres. Le chef des insurgés. Ce n'était pas contradictoire. Un étranger. Non, un corégionnaire. Un client du café en tout cas. Un autre affirma avoir entendu dire que c'était quelqu'un qu'attendaient les autorités. Son voisin demanda, sur un ton moqueur, si ce que les médaillons ordonnaient n'était pas de l'attendre aussi.

– Qui donc?

– Juan de Menda.

– Les autorités et les dispositifs ne poursuivent pas nécessairement les mêmes buts, dit le plus loquace, et, d'autre part, qu'elles décident de l'attendre n'implique nullement que nous le fassions aussi.

– Ce serait bien plutôt le contraire, souligna un de ceux qui n'avaient pas de médaillon.

– Si nous devions attendre Juan de Menda, cela voudrait dire que ce que vous avez à faire, vous, dit le bavard en s'adressant à nous trois, c'est de le chercher. Et comme personne ne sait qui il est...

Mon ex-exécutante ouvrait déjà la bouche, mais je lui pinçai l'avant-bras assez méchamment, non seulement pour la dissuader de contredire notre interlocuteur, mais parce que j'étais furieuse de l'avoir entendue livrer le nom de Juan de Menda en pâture à la dérision publique.

À ce moment-là un des clandestins s'écarta de son groupe pour s'approcher de nous.

Il voulait nous informer de quelque chose qu'il venait d'apprendre, dit-il en brandissant un petit appareil ressemblant à un téléphone portable doublé, sans doute, d'un micro-ordinateur.

– Ce terrain, qui appartenait auparavant à votre secteur, vient d'être annexé par ceux d'à-côté. Ce n'est pas la première fois car, je ne sais si vous le savez, cette zone a, en peu de temps, changé de main à plusieurs reprises.

Les modifications du paysage entre nos sorties successives, me dis-je, étaient peut-être dues à l'appartenance flottante de ce secteur. Les caractères antérieurs n'avaient pas eu le temps d'être totalement effacés, d'où le mélange que l'on pouvait voir à présent : eucalyptus et chèvrefeuille, coquelicots et marguerites, gazon et herbes folles...

Nul ne semblait s'étonner, cependant, de la réapparition de frontières que le gouvernement, quel qu'il soit, avait mis tant de soin à abolir. L'effet obtenu était, on le voyait bien, diamétralement opposé, au point d'en arriver à revendiquer la propriété collective de lopins minuscules, pensai-je, en m'abstenant néanmoins d'exprimer des idées dépourvues de toute utilité pratique étant donné les circonstances.

– Je ne sais si vous le savez, dit mon ex-exécutante en parodiant le corégionnaire clandestin, mais nous sommes ici au Grand Café.

– J'ai déjà entendu ce nom ridicule, répondit-il, mais je crois que vous vous trompez.

Les clients se mirent à discuter entre eux. Les uns étaient d'accord avec l'ex-exécutante, mais d'autres disaient que si on les avait expulsés, ils ne pouvaient se trouver encore au Grand Café. Ils oubliaient qu'ils n'avaient pas atterri ici mais plus loin, en amont du fleuve, répliquaient les premiers. En tout cas, quand ils étaient sortis par les tubes, ils ne se trouvaient pas au Grand Café, même si, en fin de compte, ils étaient revenus sur ce terrain délimité par les grillages; il était évident que c'était cela, la frontière. Et pourtant les cylindres appartenaient au Grand Café, il était impensable qu'on les ait construits sur un terrain étranger, intervins-je.

– Justement, s'exclama à nouveau le clandestin; les conflits armés sont nés pour cette raison et d'autres du même genre, avec des communes, ou des secteurs, appelez-les comme vous voudrez, de la région, pour se défendre contre la politique impérialiste du Grand Café.

D'après lui, ceux de la circonscription voisine venaient d'annexer ce secteur pour la énième fois, répéta-t-il, de sorte que, maintenant, nous étions tous des clandestins. Eux se retrouvaient Gros-Jean comme devant, et les rebelles aussi, vu que les uns et les autres aspiraient à être accueillis ailleurs. Nous qui faisions partie de la clientèle, en revanche, étions les seuls pour qui cette annexion représentait, de façon peut-être inattendue, un changement de destin, conclut-il.

– C'est le Grand Café qui décide, informa le faux exécutant.

Les médaillons se remirent à parler, incitant les uns à chercher et les autres à attendre.

– Vous n'avez pas à obéir, recommanda le clandestin. Vous vous trouvez maintenant dans une autre circonscription.

– Les dispositifs ne donnent pas des ordres mais des conseils, déclara un des clients.

– Attendre quoi et chercher quoi? demanda le clandestin, comme on pouvait s'y attendre.

– Eux, dis-je, en montrant le groupe des clients, doivent attendre le résultat de ce que nous — je désignai mes deux compagnons — trouverons après avoir cherché.

Cela sema le trouble parmi les clients, qui se remirent à discuter de l'interprétation qu'il fallait donner aux ordres des médaillons. Les uns disaient que ces ordres étaient complémentaires, d'autres, qu'ils s'annulaient entre eux, étaient contradictoires, et qu'il fallait choisir. Les dispositifs étaient, en quelque sorte, ennemis. Sinon, on ne comprenait pas pourquoi les uns formulaient leur ordre dès que les autres avaient fini de le faire. Les partisans de la complémentarité affirmaient que cela était parfaitement explicable, les deux types de dispositifs étant programmés pour « parler », en laissant s'écouler le même laps de temps entre un ordre et un autre. On envisagea aussi une possibilité différente, à savoir que les commandements n'avaient pas de lien entre eux et que chaque porteur devait s'arranger avec son médaillon, sans tenir compte de ce que disaient les autres.

La discussion était si animée que nous fûmes surpris par l'arrivée inopinée, du côté du fleuve, d'un groupe de sept individus, dont cinq soldats munis de leur mitraillette respective, qui escortaient deux autres personnes : un homme en costume cravate, attaché-case à la main, et une femme d'un âge indéterminé en tenue de secrétaire : tailleur et talons aiguilles. Comme aucun bateau n'était en vue, nous eûmes l'impression qu'ils surgissaient du néant.

Ils étaient envoyés, nous informèrent-ils, par les autorités de la circonscription annexionniste. L'homme, quelque chose comme un secrétaire d'administration, avait pour mission de coucher par écrit sur un formulaire, avec le concours de sa secrétaire, les nom, prénom, date et lieu de naissance de tous ceux qui étaient là. Les choses se déroulèrent sans problème jusqu'au moment où le prétendu secrétaire d'administration nous demanda de lui remettre nos médaillons. Devant le refus quasi général, les soldats crurent bon de recourir à la force. Mauvais calcul : les ex-rebelles, également armés, prirent notre défense, et ils étaient plus nombreux que les soldats. Un de ces derniers fut blessé au bras, mais, heureusement, les choses n'allèrent pas plus loin.

L'incident eut comme conséquence positive de ramener à la modestie le scribouillard et sa secrétaire, qui consentirent à nous expliquer quel était l'objectif de leur relevé. Il s'agissait de tirer au sort parmi nous pour savoir qui obtiendrait une autorisation officielle de résidence dans cette circonscription et qui, au contraire, ne jouirait pas de ce privilège. À notre question de savoir ce qui se passerait dans ce dernier cas, ils nous fournirent des réponses si évasives qu'elles laissaient supposer le pire. Nos visiteurs furent conspués, et reprirent prestement le chemin du retour; nous découvrîmes alors qu'ils étaient arrivés à pied par la berge, et étaient passés de l'autre côté du grillage en pénétrant de quelques mètres dans le fleuve; deux soldats transportaient à bras le scribouillard et sa secrétaire, pour leur éviter de mouiller leurs vêtements citadins. De l'autre côté de la clôture deux jeeps les attendaient.

Il s'agissait — nous le savions —, d'une trêve passagère, vu que d'autres représentants de la circonscription annexionniste, mieux pourvus en moyens, ne tarderaient sûrement pas à revenir.

Les médaillons, chose étrange, restaient muets, alors même qu'il était clair qu'il fallait trouver la sortie avant le retour des annexionnistes avec le résultat du tirage au sort, commenta mon ex-exécutante.

– Il n'est plus nécessaire qu'ils parlent, puisque nous avons compris ce qu'il faut faire : chercher la sortie, fit l'un des clients, se rangeant à l'avis de ma compagne.

Tous, cependant, ne partageaient pas cette opinion.

Les ex-rebelles et les clandestins se moquaient éperdument, en bonne logique, de ce que disaient les médaillons. Bien mieux : je surprenais de temps en temps chez les membres des deux groupes les regards condescendants, voire compatissants, qu'ils nous jetaient.

Les clients qui ne portaient pas de médaillon furent, en revanche, les premiers à exprimer des réticences. Ils voulaient bien chercher la sortie, disaient-ils, mais pas si elle ramenait au Grand Café. Par leur intermédiaire, les ex-rebelles et les clandestins apprirent que ce n'était pas là un endroit très recommandable. Tout y avait été conçu pour nous donner l'impression que la liberté n'était qu'une illusion; ceux qui l'avaient inventé, poursuivaient-ils, entendaient humilier leurs gens, les amener à se penser comme de simples jouets du destin. D'autre part, une fois entrés il était très difficile de sortir; on ne savait par où et nombreux étaient ceux qui mouraient de faim, de soif ou d'épuisement.

– Un jeu? demanda l'un des ex-rebelles. C'était pure inconscience que de qualifier de jeu cette sinistre invention, répliquèrent les clients insurgés.

– À l'intérieur ou à l'extérieur du Grand Café, c'est du pareil au même, dit un désigné heureux de l'être; le jeu est identique. Ce qui change, c'est que, quand on est dehors, on ne s'en rend pas compte.

Parmi les ex-rebelles et les clandestins, seule une minorité, après ce qui venait d'être dit, était tentée par le Grand Café. Parmi la clientèle, les opinions étaient partagées presque à égalité.

– Examinons l'autre option, proposai-je.

Si nous ne cherchions pas rapidement la sortie, qui, il ne fallait pas se leurrer, n'était qu'une entrée du Grand Café, nous nous trouverions à la merci des autorités du secteur annexionniste. Ce que beaucoup récusaient au Grand Café, et moi aussi — à savoir la manipulation éhontée dont nous étions l'objet —, nous le retrouverions dans ce secteur : apparemment, on y laissait aussi le hasard décider, puisqu'on faisait dépendre notre destin d'un vil tirage au sort. Sans compter, ajoutai-je, que l'attitude et l'apparence de ceux qui nous avaient rendu visite laissait supposer que cette circonscription était régie, pareillement, par des critères bureaucratiques et autoritaires. Personne ne pouvait dire le contraire.

– Les apparences sont trompeuses, dit un clandestin.

– « Le mieux est l'ennemi du bien », m'appuya, en revanche, un client du café.

Je dus me rendre à l'évidence ; pour ce qui était de notre groupe, ma proposition était parfaitement illustrée par ce dernier proverbe — qui, pourtant, m'avait toujours inspiré une aversion certaine.

Un des clients insurgés fit observer avec ironie, mais non sans pertinence, que l'hypothèse antérieure du faux exécutant était la plus juste : en nous soumettant au tirage au sort, nous obéissions à l'un des desseins du Grand Café, qui était de nous réserver ce destin. Ce n'est pas en vain que la porte s'était refermée, puis avait même disparu, après notre entrée dans le champ.

– Cela démontre, remarqua mon ex-exécutante, que le libre arbitre persiste malgré tout. Nous pouvons, dans le cas présent, choisir à notre gré : ou bien chercher la sortie/entrée du Grand Café, ou bien attendre la venue des annexionistes avec les résultats du tirage au sort. La liberté nous était consubstantielle et certains avaient beau la craindre, il était impossible de l'évacuer totalement, affirma-t-elle, inspirée.

– Quant à nous trois, ajouta-t-elle en désignant, bien entendu, le faux exécutant et moi, les choses sont claires, puisque nos médaillons ont dit « Cherchez ». Les autres clients, dont les dispositifs ordonnaient l'attente, aviseront. Mon opinion est la même que celle de mon ex-désignée — dit-elle en me montrant du doigt, et j'appris ainsi comment elle m'appelait en son for intérieur — : nous tous, en tant que membres de la clientèle, sommes unis par le même destin ; vous autres héritez d'un rôle passif, nous d'un rôle actif. Votre attente sera récompensée par le résultat de notre recherche, conclut-elle.

On ne pouvait continuer à discuter plus longtemps, aussi mes deux compagnons et moi nous mîmes en devoir de chercher, escortés, à quelques pas de distance, par plusieurs clients qui consentirent à nous suivre, et par quelques rares individus du groupe des clandestins et des ex-rebelles. À partir de ce moment nos médaillons, ainsi que ceux des clients qui nous accompagnaient, déclenchèrent un agréable bourdonnement berceur et bienfaisant.

Nous descendîmes vers le fleuve, constatant que dans les arbres coexistaient singes et perroquets. La présence de ces derniers semblait provoquer chez les primates un effet lénifiant, car ils ne sautaient plus, comme avant, sur les épaules de ceux qui n'avaient pas de médaillon. Au contraire, ils se cantonnaient farouchement sur les plus hautes branches, comme si nous leur faisions peur. Mon ex-exécutante supposa que c'était le grésillement de tous ces médaillons qui les maintenait à distance.

C'est un des clients qui remarqua, en regardant du bord de l'eau vers le fond du champ que nous venions de traverser, une protubérance du terrain juste avant la démarcation entre le gazon et les herbes folles. Ces dernières poussaient en plusieurs endroits, mais se multipliaient sur la rive, en une frange parallèle au fleuve. Le promontoire qui s'amorçait au fond du champ avait une courbe si régulière qu'il ne pouvait pas, vu de loin, ne pas évoquer un cylindre. Fort probablement, déclarèrent le client et le faux exécutant, il y avait un tube tout près de la surface, une canalisation hors d'usage par laquelle nous pourrions peut-être revenir au Grand Café.

Cette fois, il n'y eut pas de discussions ; il s'agissait seulement de vérifier le bien-fondé de cette hypothèse. Je les informai que point n'était besoin de creuser, le gazon n'étant qu'un tapis. Il suffisait de soulever le bord, en s'y mettant à plusieurs, ce qui fut fait sans grande difficulté, avec le résultat escompté : le tube était là et avec lui, sans l'ombre d'un doute, la sortie du champ. Certains de ceux qui étaient restés plus haut, renonçant à nous suivre, se joignirent à nous en s'apercevant de notre découverte.

Une espèce de brise froide soufflant du fond du cylindre nous rassura en nous laissant supposer qu'il n'était pas bouché. Les clients insistèrent pour nous faire entrer les premiers ; je ne sais trop pourquoi ils estimaient que c'était grâce à nous et à nos médaillons qu'ils avaient pu trouver la sortie ; ils disaient que notre apparition dans le champ, avec nos dispositifs qui ordonnaient « Cherchez », avait conféré à tout cela une cohérence sans laquelle ils se seraient sentis perdus, ou à la merci des autorités annexionnistes.

Nous nous glissâmes donc, tout simplement, dans cet ordre. Au bout d'un instant la progression devint difficile ; la brise s'était transformée en un vent violent contre lequel il nous fallait lutter pour continuer d'avancer. Les médaillons émettaient toujours leur petit cri-cri aux effets consolants, mais nous ne pouvions plus l'entendre qu'en les collant à notre oreille ; le ululement du vent était plus fort. Le nombre de nos corégionnaires fondit au fur et à mesure qu'ils s'engageaient dans des bifurcations surgies au passage, au fond desquelles ils apercevaient, disaient-ils, une issue et où le vent ne soufflait pas. Il ne resta plus, finalement, que nous trois ; nous avions préféré nous en tenir à la ligne droite, malgré le vent, puisqu'aucun signe de nos médaillons ne nous enjoignait de nous en détourner.

CHAPITRE IV

Nous nous retrouvâmes dans un couloir presque identique au précédent ; on ne voyait rien d'autre que la porte par laquelle nous étions entrés, mais le passage était libre ; le corridor s'étendait de part et d'autre. Nous nous regardâmes en souriant, triomphants. Le mur de béton semblait moins humide. Nous savions que pour continuer à progresser, les grands rideaux devaient rester sur notre droite. Le sol, maintenant, brillait de propreté, sans plus aucun détritus. C'est pourquoi notre attention fut aussitôt attirée par la boite en carton, que nous aperçûmes de loin.

Mon ex-exécutante fut la première à partir en courant, avec l'espoir, peut-être, de trouver dans la boite un peu de nourriture pour calmer la faim qui nous tenaillait à nouveau. D'où nous étions, nous la vîmes s'arrêter, s'immobiliser, puis s'agenouiller. Son attitude cérémonieuse, presque mystique, m'intrigua fort, mais prit tout son sens quelques secondes plus tard, lorsque, ayant pressé le pas, je découvris, en même temps que le faux exécutant, le contenu de la boite.

Un bébé y dormait placidement. À son cou pendait un médaillon. La découverte était de taille ; les antécédents ne manquaient pas, y compris dans la Bible. Le sommeil de l'enfant nous imposa un silence respectueux, qui nous permit du même coup de tendre l'oreille vers son médaillon. Au bout de quelques minutes, ce dernier émit un grésillement identique à celui que produisaient les nôtres.

– Ils sont synchrones, eut l'occasion de dire à nouveau la fausse désignée, dans un murmure extatique.

Ce fut, cette fois, mon corégionnaire et moi qui échangeâmes des regards entendus.

– Je suis arrivée la première, dit aussi mon ex-exécutante, le regard rivé sur mon médaillon, mais elle pouvait être tranquille : je n'avais nullement l'intention de lui disputer cette maternité adoptive.

Je lui fis juste remarquer que, si le dispositif du bébé émettait bien le même bourdonnement que les nôtres, il ne le faisait pas simultanément. Par conséquent, ajoutai-je, « synchrones » n'était pas le terme le plus approprié.

Notre corégionnaire suggéra à la fausse désignée de ne pas prendre de décisions hâtives. Si nos médaillons à toutes les deux émettaient des grésillements simultanés, et non celui du bébé, il y avait bien quelque raison. Impossible de savoir si nous ne représentions pas, dans le destin de l'enfant, une simple étape; celle qui lui servirait à trouver la mère véritable que lui aurait assignée la Providence, reconnaissable sans doute à la synchronisation de leurs médaillons respectifs. Les nôtres avaient dit « Cherchez! », rappela le faux exécutant, et nous faisions tout le contraire. Ce n'était pas sans effort que nous avions enfin trouvé la sortie du champ grillagé. Le bébé, en revanche — personne ne pourrait dire le contraire —, nous l'avions trouvé sans l'avoir cherché.

– Cela a été par hasard, il n'y a pas le moindre doute, fit, en extase, la fausse désignée, en regardant le bébé comme si elle venait de le mettre au monde. Et c'est ce qui importe.

Notre corégionnaire, intervins-je, avait perdu de vue ce facteur, il avait oublié que nous nous trouvions dans un lieu prétendument gouverné par le hasard. D'autre part, le rythme du grésillement du médaillon répondait peut-être à une horlogerie interne, biologique et métabolique, qui, on le sait, a des cadences différentes chez l'adulte et chez l'enfant; pour mon ex-exécutante et moi, le fait d'être femmes et d'avoir le même âge impliquait peut-être la synchronisation parfaite de nos deux médaillons. L'identité de grésillement entre celui du bébé et les nôtres constituait pourtant — c'était indéniable — une coïncidence significative. En fait, cela semblait être le signe d'un destin commun, bien que provisoire : c'était ce qui s'était produit avec les membres de la clientèle qui nous avaient accompagnés dans le cylindre.

– Quand on donne un sens au hasard, il cesse d'être hasard, déclama, aphoristique et résigné, le faux exécutant.

Le bébé commençait à s'agiter, par la faute, certainement, de nos discussions oiseuses et saugrenues, dit, presque avec mépris, la fausse désignée. Il n'y avait rien à discuter, elle avait pour sa part déjà pris une décision qui était au demeurant, elle n'avait sur ce point pas le moindre doute, celle qui s'imposait. C'est elle, maintenant, qui nous disait que nous pouvions nous en aller si nous le désirions ; que nous n'étions pas obligés de rester, qu'elle saurait se débrouiller toute seule.

Les trois médaillons émirent soudain un long bourdonnement simultané, signe que je jugeai suffisant pour ne pas me séparer, dans l'immédiat, de mon ex-exécutante et de son bébé.

Nous devions néanmoins continuer à avancer ; le dispositif de l'enfant émettait maintenant un cri-cri très bref et entrecoupé tandis que ses paupières frémissaient comme des ailes de papillon. Il allait d'un moment à l'autre se réveiller et réclamer à manger, fit, soucieux, le faux exécutant. Notre compagne prit le bébé dans ses bras, en même temps que les linges qui l'enveloppaient, révélant, au fond du carton, quelques articles nécessaires à sa survie et un peu de nourriture pour adultes ; il y avait même une baguette de pain frais, dont nous fîmes aussitôt trois parts égales. L'enfant poursuivait son sommeil, étranger à nos tribulations et nos besoins, aussi placidement que lorsque nous l'avions trouvé.

– C'est un ange, dit mon ex-exécutante.

Notre corégionnaire se porta volontaire pour prendre le carton, et nous continuâmes, malgré l'absence de toute porte ouvrant une brèche dans le haut mur de béton suintant. Soudain, les rideaux s'interrompirent brusquement, rendant impossible d'avancer sans se retrouver à l'intérieur de la remise. Forts de la leçon des événements précédents, nous comprîmes qu'il était vain de rebrousser chemin ; je n'hésitai un peu que par principe : l'attitude de mes compagnons déterminés à aller de l'avant me décida.

Nous nous heurtâmes à une difficulté, car à cet endroit le plancher se trouvait à quelques mètres au-dessus du sol cimenté du couloir, derrière les rideaux. Il fallait grimper et, comme mes corégionnaires avaient les bras chargés, je finis par les précéder et les aider à monter. Une lumière assez intense éclairait les lieux, laissant tout le reste dans l'obscurité. Nous nous trouvâmes immédiatement devant une porte, comme en carton-pâte, mais porte tout de même. Je l'ouvris avec un enthousiasme si énergique que le chambranle en fut faussé, et fis irruption la première, suivie avec plus de pondération par mes compagnons. C'était le living d'une maison et le couple d'âge mûr qui s'y trouvait, assis sur un canapé, se mit débout aussitôt, en nous regardant avec une expression étrange qui n'était pas à proprement parler de la surprise.

– Il était temps, dit la femme.

Le dialogue qui suit s'établit alors :

LUI (*jovial*) : Entrez, entrez, entrez donc. Nous vous attendions.

(*Nous avançons un peu, à petits pas. Nous nous arrêtons. L'homme et la femme se regardent comme ne sachant que faire ni que dire. Une sorte de silence gêné s'installe.*)

ELLE : Bon, et alors?

(*Nouveau silence plus bref.*)

FAUSSE DÉSIGNÉE (*sans s'approcher, de loin*) : Regardez le bébé, n'est-ce pas qu'il est beau?

LUI (*en s'approchant timidement*) : Ta mère se faisait du souci.

(*Le faux exécutant et moi échangeons des regards stupéfaits.*)

ELLE (*Elle court vers la fausse désignée, regarde le bébé, a l'air déçue*) : Il est très endormi.

FAUSSE DÉSIGNÉE : C'est un ange.

ELLE : Les anges ne dorment pas.

MOI (*serrant les jambes comme lorsqu'on a envie de faire pipi*) : Madame...

LUI (*sans faire attention à moi, et avec lyrisme*) : Non, ils ne dorment pas; ils veillent sur nous.

FAUX EXÉCUTANT (*comme pour lui-même*) : Il faut bien qu'ils se reposent de temps en temps.

ELLE (*à la fausse désignée*) : C'est ton mari, ce type qui dit des bêtises?

FAUSSE DÉSIGNÉE : Oui, maman.

(*Le faux exécutant et moi nous regardons à nouveau d'un air ahuri; je serre toujours les jambes.*)

ELLE (*au faux exécutant*) : Mettez-vous à l'aise. Posez le carton par terre.

(*Le faux exécutant obéit mais reste debout, au même endroit, avec une mine hébétée.*)

ELLE (*se penchant à nouveau pour regarder l'enfant et, alternativement, le faux exécutant*) : Il vous ressemble, c'est incroyable : tout votre portrait.

LUI (*toujours lyrique*) : Pauvre ange! Je suis sûr qu'il a les yeux de la famille.

MOI (*avec de plus en plus d'urgence*) : Madame...

ELLE (*à la fausse désignée, à voix basse*) : Ta sœur a encore une crise?

(*La fausse désignée hausse les épaules sans cesser de regarder le bébé qu'elle tient dans ses bras.*)

LUI (*à ELLE*) : Il lui arrive quelque chose?

ELLE : Tu sais comme elle est; elle ne nous reconnaît pas toujours.

(*Elle me regarde avec tendresse.*)

MOI (*saisissant l'occasion*) : S'il vous plaît, j'aimerais...

LUI : Je veux parler du bébé; pourquoi ne se réveille-t-il pas?

ELLE : Ne recommence pas avec tes angoisses.

LUI : C'est que je veux voir ses yeux; les yeux de la famille.

(*Je me glisse derrière eux et derrière le canapé, à la recherche d'une porte.*)

FAUX EXÉCUTANT (*changeant complètement d'attitude, ramassant le carton et avançant vers l'homme d'un air de défi*) : Et s'il avait mes yeux? Qu'est-ce qui se passerait? Vous le tueriez, peut-être?

ELLE : Chuut! Vous allez le réveiller!

FAUSSE DÉSIGNÉE : (*à ELLE, haineusement*) : C'est incroyable! Toujours aussi à côté de la plaque, aussi égocentrique. Tu ne t'es jamais rendu compte de rien! Et maintenant non plus!

(*Je m'arrête un peu, comme surprise, soudain intéressée par ce qui se dit.*)

ELLE (*désespérée*) : Ma chérie, qu'est-ce que tu dis?

FAUX EXÉCUTANT (*à la femme, d'un ton monocorde, comme s'il récitait*) : Elle vous dit que vous ne vous êtes jamais souciée d'autre chose que de vous-même, qu'elle n'a été qu'une poupée pour vous, que vous vous êtes toujours moquée éperdument de ce qu'elle désirait... (*Il s'écroule, comme mort d'ennui, sur le canapé*) etc, etc, etc.

LUI (*au faux exécutant*) : Mêlez-vous de ce qui vous regarde, je vous prie.

MOI (*les jambes toujours serrées*) : Je peux dire quelque chose?

ELLE (*à LUI, sans me prêter attention*) : Ne le traite pas mal; c'est ton gendre, le père de ton petit-fils. Pauvre petit ange! (*au bébé, à voix basse*) : Ils veulent te réveiller, c'est des grands méchants, ne les écoute pas... (*elle fait mine de l'enlever des bras de la fausse désignée, doucement d'abord, mais comme celle-ci résiste elles en viennent aux mains.*)

MOI : Nous venons de le trouver là dehors, dans le couloir.

(*Le faux exécutant me fait des signes désespérés pour que je me taise.*)

ELLE (*à la fausse désignée, lâchant prise, dépitée)* : Ingrate; je suis sa grand-mère, j'ai bien le droit.

MOI : Grand-mère à la noix.

ELLE (*elle me regarde d'un air attristé*) : Faites du bien aux animaux... (*elle s'assoit sur le canapé à côté du faux exécutant.*)

FAUX EXÉCUTANT (*faisant un geste vers moi*) : Ne soyez pas injuste avec elle; elle ne sait pas ce qu'elle dit, la pauvre...

ELLE : Mais l'autre, votre femme, elle le sait, elle. Qu'est-ce qu'il ne faut pas entendre!

FAUX EXÉCUTANT (*ironique*) : Oui, après tant de sacrifices...

MOI (*Derrière le canapé, la touchant à l'épaule du bout de mon index*) : Madame, s'il vous plaît...

(*ELLE retient affectueusement ma main posée sur son épaule, la caresse, sans se retourner pour me regarder. La fausse désignée fait les cent pas, ses yeux fixés sur le bébé.*)

ELLE : Voyez-moi ça; et après ça parle de poupée!

MOI : Elle n'a rien dit (*montrant du doigt le faux exécutant*); c'est lui qui l'a dit. (*à LUI*) : Monsieur, s'il vous plaît...

LUI : Il faut appeler un médecin.

ELLE : Non, tu ne vas pas me la prendre maintenant (*elle me serre fortement la main, me saisit le bras jusqu'au coude*) ; c'est tout ce qu'il me reste.

FAUX EXÉCUTANT : Calmez-vous, madame, il veut parler du bébé.

FAUSSE DÉSIGNÉE : Elle ne se soucie que d'elle-même ; c'est une égocentrique. (*à ELLE*) : Attrape (*elle lui lance le bébé sur le canapé*) : je te laisse le petit ange, joue avec lui tant que tu voudras.

(*Le faux exécutant, épouvanté, se lève du canapé. LUI s'assoit à sa place et ELLE lâche mon bras ; l'air extatique, elle saisit l'enfant.*)

FAUSSE DÉSIGNÉE (*à moi et au faux exécutant*) : Allons-nous-en ; il n'y a plus rien à faire ici. (*Au faux exécutant*) : Prends le carton ; il peut toujours nous servir.

(*Nous nous apprêtons à sortir par où nous sommes entrés ; la fausse désignée nous montre une autre porte, derrière, à droite du canapé.*)

FAUSSE DÉSIGNÉE : Par là.

On entendit comme un tonnerre d'applaudissements en provenance de l'obscurité. Le faux exécutant voulait revenir pour les salutations d'usage, et moi j'en avais un peu envie aussi. Il nous fallut affronter notre corégionnaire, bien décidée — dit-elle — à ne plus remettre les pieds dans cette maison. Ça la dégoûtait, par ailleurs, d'être obligée de saisir leurs mains moites, à ELLE et à LUI, en faisant une courbette ridicule devant une foule anonyme à l'abri de l'ombre. Elle ne supportait pas l'idée de voir le bébé dormant, jeté sur le canapé, où ELLE le laisserait négligemment sans doute, pour aller s'occuper de sa gloire, recueillir triomphante des applaudissements adressés principalement, nul ne l'ignore, à sa personne. De participer à la farce de la maternité ne l'intéressait pas. D'apporter son grain de sable pour accréditer le dévouement et le sacrifice maternels, alors qu'il ne s'agissait que d'obtenir les acclamations les plus enthousiastes, l'indignait. Pendant ce temps le faux exécutant et moi ne cessions d'échanger des regards étonnés, tandis que le public applaudissait à tout rompre.

– Tu devrais aller le reprendre, dit le faux exécutant à notre compagne, en lui faisant un clin d'œil.

– Pour vous autres c'est facile, répondit-elle. Mais moi, je ne suis pas restée en dehors de l'histoire comme certaines, ni ne me suis contentée d'un rôle secondaire, comme d'autres. Et puis, il faut te chercher rapidement des toilettes, ajouta-t-elle en me regardant.

– Je n'ai pas la moindre envie de faire pipi, répliquai-je.

– Quand on salue, les lumières s'allument, le public apparaît éclairé. Le bébé se réveillera à ce moment-là, dit le faux exécutant, s'efforçant de nous décider à entrer saluer avec lui.

J'avais été prise d'une pitié soudaine pour mon ex-exécutante à deux doigts d'éclater en sanglots ; je voulais bien la consoler, mais ne savais que lui dire. Il était difficile d'alléger sa douleur de la séparation.

– Il n'y a pas de bébé, dit-elle au faux exécutant, les joues ruisselantes de larmes. Ne prenez pas la peine de continuer à me tromper ; c'était une simple poupée de chiffon, de celles qu'on lance en l'air ; et donc impossible à réveiller.

J'eus l'idée de lui dire, pour la consoler, que la rencontre avec ELLE et LUI avait été, comme on dit, *providentielle*, et qu'il était bon qu'elle se soit si vite rendu compte de la réalité des choses.

Pas si vite que je le pensais, me répondit la fausse désignée entre deux sanglots ; elle avait eu le temps de s'attacher, de faire des projets, d'imaginer un avenir lumineux, mais son plus grand motif d'inquiétude, c'est qu'ELLE allait peut-être réussir à le réveiller.

– C'était une poupée, une simple poupée de chiffon ! vociféra notre faux exécutant, tandis que nous parvenaient, d'un parterre invisible, d'interminables ovations.

– Éloignons-nous d'ici, ordonnai-je, retrouvant mon autorité.

Je voulais oublier l'incident, peut-être parce que le moment de la transformation m'avait échappé. J'avais vu un bébé bien vivant, même s'il dormait à poings fermés ; je n'étais pas plus convaincue que mon ex-exécutante par cette histoire de poupée de chiffon. Il y avait en outre l'énigme du médaillon ; s'il émettait son petit cri-cri, n'était-ce pas qu'au-dessous un cœur battait ?

Ils marchaient lentement, le faux exécutant en traînant les pieds, comme un enfant qu'on oblige à quitter une fête d'anniversaire, et notre compagne parce qu'elle avait les yeux noyés de larmes.

– Même s'il était en chair et en os, dis-je, il était comme une poupée puisqu'il ne pouvait pas se réveiller.

– C'est tout à fait ça, ajouta le faux exécutant, résigné, cette fois, à ignorer les rappels du public.

D'ailleurs ceux-ci venaient de cesser. Tout à coup, notre compagne, se recoiffant de la main et lissant sa jupe, revint sur ses pas si vivement que nous ne pûmes l'en empêcher.

Elle réapparut les joues roses, les yeux brillants et le petit dans les bras; je m'interdis de vérifier immédiatement sa véritable nature. Le faux exécutant, quant à lui, s'approcha et, comme s'il avait oublié tout ce qu'il avait dit, se mit à lui parler tendrement, assumant de toute évidence un rôle paternel.

Je préférai ne pas m'immiscer dans cette intimité; regardant devant moi, j'aperçus au fond du couloir une nouvelle porte. Nous nous trouvions, plus ou moins, à égale distance de celle-ci et du living d'ELLE et LUI. Je leur montrai la sortie, mais ne tardai pas à comprendre qu'ils préféraient revenir en arrière.

– Il nous faut régler quelques comptes et nous réconcilier, expliqua mon ex-exécutante.

Nous nous dîmes au revoir en nous embrassant, et nos médaillons respectifs, en se touchant, émirent un claquement évocateur de baisers, sur fond de grésillement, mais moins intense, et qui peu à peu s'éteignit.

– Je vous félicite, leur dis-je, serrant aussi dans mes bras notre corégionnaire, et caressant l'enfant à travers les linges qui le couvraient.

– Et bonne chance! prononçâmes-nous tous les trois en chœur avant de nous séparer.

Une fois la porte ouverte, je me trouvai plongée dans l'obscurité totale. Aussitôt me parvint, toute proche, une rumeur de foule, vers laquelle je me dirigeai avec difficulté, en tendant les bras pour ne pas me cogner contre des parois humides. Une faible clarté m'indiqua le chemin par une espèce de boyau.

Je débouchai sur un très long escalier à plusieurs coudes, bondé d'une foule cherchant à monter ou à descendre, mais avançant très lentement. On me souhaita la bienvenue, et quelqu'un se poussa un peu pour me permettre de m'intercaler dans la file montante. Je vis que certains portaient des médaillons mais, à l'instar du mien, aucun n'émettait plus ni ordres ni bourdonnements ; ils étaient devenus définitivement muets, aurait-on dit.

L'air et la lumière étaient chichement distribués par d'étroits et très hauts vasistas grillagés. L'escalier s'enroulait sur lui-même et, selon l'orientation, un pâle reflet ambré parvenait des hauteurs lointaines, où on distinguait une coupole.

Je ne tardai guère à me rendre compte que personne ne choisissait de monter ou de descendre ; chacun surgissait dans l'escalier par l'aile ascendante ou descendante ; il était impossible de changer de côté, comme si une règle tacite s'était imposée parmi les occupants ; celle de n'autoriser personne à quitter une file pour s'intercaler dans l'autre. Cette règle avait sa raison d'être ; l'escalier était déjà bien assez embouteillé pour ne pas ajouter de nouvelles difficultés. J'avais surgi au niveau le plus bas, celui des dernières marches, aussi l'alternative ne s'était pas posée ; je ne pouvais que monter.

Les occupants de l'escalier se divisaient à première vue en deux catégories : ceux qui avaient des médaillons et ceux qui n'en avaient pas. Des premiers je pouvais être sûre qu'ils avaient séjourné, un certain temps, comme moi, dans la remise. Le passé de ceux qui étaient dépourvus de dispositif était, en revanche, plus énigmatique ; il y avait parmi eux, naturellement, les *nouveaux*, c'est-à-dire ceux qui venaient de passer des toilettes au grand escalier, qui constituait, donc, leur première expérience ; mais aussi ceux qui avaient déjà connu la remise, mais en y étant exécutants, voire répresseurs, ou qui s'étaient tout bonnement débarrassés de leur médaillon. Les *nouveaux* surgissaient par les escaliers métalliques latéraux, et tous les autres par en bas. Les clients ne consentaient que rarement à évoquer leur passé récent ; l'observance des règles tacites régissant le séjour dans l'Escalier exigeait une concentration incompatible avec le bavardage.

Malgré tout, parmi ceux qui étaient sans médaillon, j'identifiai assez facilement ceux qui venaient des toilettes ; ils formaient la grande majorité de ceux qui voulaient descendre, comme le préconisaient des flèches grossièrement peintes sur les marches. Néanmoins, ils étaient souvent obligés de monter d'abord, parce qu'ils avaient débouché sur l'aile ascendante. Au bout d'un certain temps, descendre ou monter n'avait plus guère d'importance ; comme il n'y avait de sortie à aucune des deux extrémités, la file avançait avec une obsession de noria interminable.

La clientèle en provenance des toilettes mettait le pied avec innocence et curiosité sur les escaliers métalliques, une fois passées les portes camouflées qui s'étaient immédiatement refermées dans son dos. Ainsi faisait-elle connaissance avec l'un des traits les plus constants du Grand Café : j'avais largement pu constater que l'établissement et ses annexes s'étaient dotés de tout un système spécial de portes qui, une fois fermées, ne pouvaient se rouvrir.

À mi-hauteur de l'escalier, il y avait de part et d'autre deux cabinets sales et malodorants, auxquels on ne pouvait accéder qu'en parvenant à leur hauteur. C'était aussi le lieu d'approvisionnement en eau.

On tenait pour acquis qu'aucune sortie ne se trouvait, probablement, vers les étages intermédiaires, mais seulement en haut ou en bas. De temps en temps quelqu'un en trouvait une, bien sûr. Une autre règle tacite limitait à trois le nombre de ceux qui pouvaient le suivre, étant entendu, de surcroît, qu'ils ne devaient pas être intercalés. Le premier aspect de la règle avait pour but d'éviter qu'à la perspective d'une évacuation de l'Escalier — et ce n'était pas là, sans doute aucun, la raison d'être de ce lieu — la sortie ne devienne indisponible en se transformant très vite en piège. La crainte, c'était de voir l'euphorie tourner à la panique en cas de bousculade et de gens piétinés. L'objectif du second aspect de la règle était d'empêcher les clients d'enjamber le corps de ceux qui les précédaient, avec les dangers de déstabilisation et les chutes que cela impliquait.

La sortie par le bas n'avait guère de succès auprès des porteurs de médaillon qui, comme moi, ne conservaient pas un bon souvenir de la remise. Il n'en allait pas de même chez ceux qui, à ma grande surprise, gardaient de cet endroit une agréable nostalgie et, bien entendu, chez tous ceux qui venaient des toilettes, convaincus au demeurant que les flèches avaient leur raison d'être. Bien peu, parmi eux, désiraient quitter le Grand Café sans avoir auparavant tâté d'une autre expérience qu'ils imaginaient plus exaltante que celle de l'Escalier. Les clients ayant connu l'expérience de la remise propageaient dans les rangs les rumeurs les plus contradictoires, ce qui ne laissait d'éveiller une grande curiosité parmi les nouveaux. Mes tentatives de dissuasion restaient, pour cette raison même, sans grand résultat.

On avançait très lentement, parce qu'il y avait toujours plus de gens à arriver qu'à réussir à sortir. Bien qu'il fût permis de se reposer sur les marches, une troisième règle tacite stipulait que celui qui voulait s'asseoir ne pourrait le faire qu'après avoir averti celui qui le suivait. Une espèce d'onde, dans ces moments-là, se transmettait vers l'arrière, permettant de s'asseoir en douce à de nombreuses personnes. Par une quatrième règle tacite, les escaliers latéraux métalliques étaient interdits aux occupants, et devaient demeurer dégagés en permanence. Une cinquième précisait que la durée de ce qu'on appelait *stations assises*, ne pouvait excéder trois minutes, et une sixième, qu'entre une station assise et la suivante il ne pouvait s'écouler moins de dix minutes. Si toutes ces règles étaient dénommées *tacites*, c'était parce que la clientèle ne se rendait compte de leur existence que lorsqu'elle s'apprêtait à les transgresser. Le règlement établissait un rythme presque unique en vertu duquel on avançait pendant dix minutes, pour se reposer pendant trois. La distance à parcourir était cependant si grande que les occupants n'effectuaient pas tous en même temps les deux activités. Les nouveaux arrivants, qu'ils soient nouveaux ou vétérans, ne pouvaient s'intercaler dans la file, bien entendu, que lorsque celle-ci avançait.

Une ligne tracée à la craie sur le palier d'en haut et le palier d'en bas indiquait que celui qui posait le pied dessus, devenu *pionnier*, pouvait aller chercher la sortie pendant un laps de temps qui, réglementairement, ne pouvait excéder trois minutes. C'était là, de toutes les règles, la plus facile à transgresser en théorie ; en s'en allant, le pionnier se trouvait soustrait au contrôle du groupe, surtout si, comme c'était le cas en bas, il y avait des recoins qui échappaient à la vue de ceux qui étaient dans la file. Si, dans la pratique, presque personne ne s'avisait de la transgresser, c'était sans doute parce que l'espoir de trouver une sortie en si peu de temps était moindre que la crainte de la réprobation du groupe auquel le pionnier devait forcément revenir. J'entendis évoquer, en revanche, le cas de personnes qui, l'ayant trouvée, étaient parties seules, sans avertir les trois occupants autorisés à les suivre. Il était parfois arrivé à des pionniers, qui étaient revenus chercher leurs corégionnaires, de ne pas réussir à retrouver la sortie.

On disait qu'il n'y en avait pas une seule mais plusieurs, et que même si, en bas, le pionnier se munissait en général d'une source lumineuse, celle-ci ne lui servait pas à grand chose : les portes — on le savait — étaient camouflées, si bien que seule la rencontre fortuite avec quelqu'un entrant par là pouvait fournir la solution puisque, contrairement aux portes latérales, celles des véritables sorties s'ouvraient exceptionnellement dans les deux sens. Il me revint que, lorsque j'avais fait irruption ici, après m'être séparée de mes camarades et de leur bébé, j'avais croisé, déjà presque à la sortie du boyau, un client — pionnier, comme il m'apparut par la suite — qui s'était à moitié arrêté, comme hésitant à me parler. Mais de toute façon, j'aurais été bien incapable de lui indiquer où se trouvait la porte que je venais de franchir. La trouver — beaucoup le disaient — était comme toujours, en fin de compte, une question de chance.

Tous ceux qui parvenaient à la ligne tracée à la craie ne partaient pas à la recherche d'une sortie; si l'on y renonçait, c'était en général que, l'ayant tenté sans succès auparavant, l'on se sentait découragé et qu'on se résignait à monter et descendre sans arrêt l'escalier, partageant ainsi, disait-on, le sort commun. Et puis on espérait probablement que d'autres, plus astucieux, plus chanceux ou plus opiniâtres, ouvriraient la voie à un moment ou un autre.

Certains se trouvaient dans l'Escalier depuis des jours; d'autres n'y passaient qu'à peine quelques heures. La maigre nourriture provenait des nouveaux venus du Grand Café, qui avaient souvent des provisions dans leur sac. Mais ce n'était pas suffisant, et quelques clients, au visage émacié, donnaient des signes de faiblesse. L'incessante gymnastique n'arrangeait rien. Les heures de la nuit étaient consacrées à dormir, mais de façon très inconfortable, vu que le nombre de personnes excédait celui des marches.

Malgré la dureté des conditions, les règles tacites étaient acceptées de manière généralisée, car on les considérait comme les seules possibles pour permettre aux gens — en limitant au maximum le coût en vies humaines — de sortir de là. Il n'y avait ni vieillards ni enfants parmi les occupants des marches et d'aucuns, qui préféraient croire en une certaine justice des autorités, avaient pour théorie que les toilettes débouchant sur l'Escalier n'étaient assignées qu'aux plus robustes, ou encore aux plus patients et aux plus tenaces. Les règles avaient été forgées récemment, pour faire face à une situation elle-même fort peu ancienne, semblait-il, comme le laissait supposer, d'après moi, l'absence de règlement concernant la nourriture. On mangeait quand on pouvait et ce qu'on pouvait, selon le voisinage éventuel d'un nouveau venu muni de vivres et son degré de générosité.

Je n'avais aucune idée de l'heure, ni du temps écoulé depuis mon entrée dans la remise. Peut-être avais-je dormi très longtemps dans les toilettes du Grand Café auxquelles j'avais accédé, et cela m'avait-il donné la force de tenir une nouvelle nuit sans dormir ; la première s'était vraisemblablement passée dans la remise, dans la zone des lits et celle de la roulette russe. Quoi qu'il en soit, avant la fin des heures séparant encore, à ce qu'on me dit, l'après-midi de la nuit, j'espérais pouvoir accéder à la sortie par le niveau le plus haut.

Au fur et à mesure qu'on approchait du faîte — appelons-le ainsi —, tout devenait plus lumineux grâce à la coupole de verre couleur d'ambre vers laquelle convergeaient invariablement les visages, comme s'ils voulaient être baignés par la douce clarté du jour. La première fois que je posai mon pied sur la ligne de craie, les trois minutes de recherche me furent plus que suffisantes pour remarquer que dans ces deux pièces vides d'une blancheur éblouissante, surmontées de coupoles jumelles plus petites que celle qui couronnait l'Escalier, ne se trouvait aucune sortie. La forte odeur de peinture fraîche se mêlait à un reste de touffeur nocturne. Je me dis qu'on m'avait mal informée, et que c'était en réalité le matin et non l'après-midi.

De retour dans la file, j'appris qu'une autre règle tacite stipulait que dans ces pièces dormaient, en nombre qui ne devait pas excéder, respectivement, la vingtaine, les privilégiés qui, la nuit venue, quand l'obscurité interdisait d'avancer, se trouvaient dans les vingt premiers de la file ascendante et les vingt derniers de la descendante. On parvenait de la sorte à libérer plus de marches, ce qui limitait l'entassement, sinon le froid et la dureté, beaucoup plus supportables, certes, sur le parquet des pièces blanches. Le matin, au réveil, ils réintégraient la file dans l'ordre même qui était le leur.

La troisième pièce devait elle aussi, supposai-je, être surmontée d'une troisième coupole, mais je fus dissuadée d'y pénétrer par l'avis placardé sur la double porte : « *Défense d'entrer. Danger de mort* ». Pendant mon second parcours de l'Escalier, qui dura, d'après mes calculs, presque deux heures, je décidai d'enfreindre l'interdiction, convaincue que c'était le seul choix qui me restait. En repassant la ligne de craie, faisant fi du tohu-bohu qui secoua alors les rangs de mes corégionnaires, je me dirigeai vers la troisième pièce interdite.

Comme il était prévisible, la porte se referma dans mon dos, définitivement, supposai-je, à moins d'être ouverte du dehors par quelqu'un d'autre. Il régnait à l'intérieur un silence de mort qui m'immobilisa sur le seuil. Une suave lumière ambrée tombait, néanmoins, de la troisième petite coupole, enveloppant d'un brillant halo tremblotant des objets lointains que je ne pouvais pas encore identifier. Une peur étrangement mêlée de plaisir me tint paralysée, jusqu'à ce que mon médaillon commence à émettre une sonnerie, semblable à celle d'un téléphone exigeant réponse. Sans être très stridente, elle n'en était pas moins gênante, parce que les bips bips étaient très rapprochés et que je ne savais comment y mettre fin. Presque aussitôt, le même son se fit entendre de l'autre côté de la porte, dans l'intervalle des bips de mon médaillon, de sorte qu'il n'y avait plus de place pour le silence. L'ouverture brutale d'un des battants de la porte me propulsa en avant.

Tous ceux dont les médaillons s'étaient mis à émettre une sonnerie continue s'étaient frayé un passage au milieu de leurs corégionnaires pour me rejoindre dans la salle interdite. Je n'avais pas tenu compte de l'avis dissuasif qui se trouvait sur la porte et, malgré la réaction initiale des clients, je constatais qu'ils me suivaient maintenant en masse et non en se bornant à trois, comme le stipulait la règle tacite. C'était la première fois que l'une d'entre elles était violée, devaient me raconter presque aussitôt quelques-uns de ceux qui étaient entrés à ce moment-là ; du moins depuis qu'ils se trouvaient dans l'Escalier. Ils s'étaient sentis tacitement autorisés à ne pas respecter la règle selon laquelle seuls trois clients non intercalés pouvaient suivre le pionnier ; le séjour dans la remise les avait dressés à obéir avant tout aux médaillons, et à interpréter leurs ordres comme les desseins inéluctables de la Destinée.

Ils étaient assez nombreux, et avaient, pour la plupart, le visage marqué par l'épouvante de la mort, qu'ils imaginaient sans doute inévitable. Ils croyaient mordicus à la menace inscrite sur la porte, comme presque tous les occupants de l'escalier qui, par leurs exclamations consternées et leurs tentatives émues de retenir par les épaules, les bras ou les avant-bras les corégionnaires qui abandonnaient leurs rangs, ne faisaient que confirmer cette certitude et encourager l'hystérie.

L'entrée en masse des clients maintint la porte ouverte au-delà du temps qui pouvait sans doute s'écouler sans faire retentir une alarme. La sirène emplit de ses vibrations un air déjà saturé par les ondes sonores provenant des médaillons qui émettaient sans arrêt leurs sonneries téléphoniques. De cet assourdissement furent victimes autant ceux qui demeuraient dans l'escalier que ceux qui avaient pénétré avec moi dans la troisième salle, ainsi que ceux qui se pressaient de finir d'y entrer afin de faire taire le fracas, au mépris de leur vie, pensaient-ils. Tout comme les règles tacites étaient respectées par les occupants sans sourciller, ils n'hésitaient pas maintenant, même avec la conviction que la mort les attendait, à accomplir ce qui leur apparaissait comme un devoir.

De même que les transgressions qu'ils avaient commises avaient été au nombre de deux : le viol d'une règle tacite et la désobéissance à l'ordre placardé sur la porte, au nombre de deux étaient également les raisons pour lesquelles les clients avaient consenti à se sacrifier, et ces deux raisons avaient pu, ou non, intervenir simultanément. L'une, déjà signalée, était celle qui ordonnait, d'après certains, de privilégier par-dessus tout les desseins des médaillons. L'autre renvoyait à une certaine conscience du bien-être collectif, inhabituelle dans d'autres secteurs du Grand Café. Les clients porteurs de dispositifs s'étaient refusés à rester dans la file et à se rendre ainsi responsables du vacarme assourdissant qui affectait tout le monde, bon gré mal gré, et qui ne cessa que lorsque le dernier porteur de médaillon franchit le seuil et que la porte se referma.

À l'intérieur de la salle le silence tarda à se rétablir ; quelques corégionnaires des deux sexes, une fois dedans, se mirent, dans leur épouvante, à se lamenter à grands cris. Ils n'étaient pas nombreux à le faire, la plupart observant une attitude plus digne, mais ils suffisaient à troubler les esprits. Le comportement héroïque des occupants munis de dispositifs ne correspondait pas, contre toute apparence, à l'acceptation intérieure que j'avais imaginée. En pleurs ou non, beaucoup regrettaient de ne pas s'être débarrassés plus tôt de leur médaillon. Certains avouaient n'avoir voulu le conserver que par vanité, pour avoir l'occasion de plastronner devant les non-initiés du Grand Café. Ils s'étaient déjà vus leur montrant leur médaillon, sans donner beaucoup d'explications, comme s'il s'agissait d'une décoration obtenue lors de l'« expérience des toilettes ». Eux-mêmes pensaient peut-être que c'était le cas, et que leur dispositif récompensait sans doute, au moins, leur bravoure ; comme l'on savait, beaucoup de clients n'avaient pas le cran de prendre le chemin des lavabos. Il s'étaient aussi figuré que c'était une prime à la résistance qu'ils avaient manifestée, en parvenant à traverser sains et saufs toutes les épreuves qui s'étaient présentées à eux. Cela avait beau prouver seulement la chance qui les avait assistés, c'était néanmoins un motif suffisant pour l'avoir conservé avec orgueil. Pour ma part je n'avais pas une idée claire des raisons qui m'avaient poussée à garder le mien ; je crois que je m'étais habituée à sa présence ou, pour mieux dire, à sa compagnie.

Durant notre séjour dans l'Escalier, le mutisme persistant des médaillons nous avait fait supposer leur désactivation, et leur renoncement à nous soumettre à de nouvelles épreuves, ou à ce qu'on voudra. À la lumière de ce qui venait d'arriver, l'Escalier cessait d'être un lieu de transition menant à la sortie, comme tout le monde l'avait cru au début. La déception était forte parmi la clientèle. « *Fanno dolore, e al dolor fenestra* »*, pensai-je et dis-je à voix haute, mais cela ne pouvait consoler personne et quelques-uns me regardèrent avec un mélange d'irritation et de haine.

Le réflexe de s'asseoir par terre avait été général ; tous ceux qui m'avaient suivie étaient là, appuyés contre la porte ou le mur

* « (Elles) lui font douleur, et font à la douleur fenêtre » (Dante, *Enfer*, chant XIII). (N.d.T.)

d'entrée, comme s'ils évitaient ainsi de pénétrer vraiment dans la salle et de s'exposer au prétendu danger de mort qu'elle recelait. Il n'était pas certain qu'il provienne de la salle en elle-même, mais il était évident que, ne comptant parmi nous aucun nouveau venu du Grand Café avec ses provisions, nous ne disposions pas, en tout cas, de quoi assurer notre survie. Nous n'avions d'autre choix, en quelque sorte, que d'explorer les lieux en cherchant une issue. Il n'était pas du tout déraisonnable de penser qu'il y en avait une ; ce n'est pas pour rien que s'était transmise parmi les occupants de l'Escalier l'idée selon laquelle on pouvait sortir par le haut ou par le bas, et les deux autres pièces avaient démontré qu'elles n'offraient pas cette possibilité.

J'aurais pu expliquer tout cela à mes corégionnaires, mais j'avais commis l'erreur de parler en italien, accentuant ainsi la haine qu'ils me portaient déjà. Ils ne me pardonnaient pas d'avoir l'air de tout savoir, comme ils ne me pardonnaient pas non plus d'être entrée dans la pièce interdite. Sans moi, pensaient-ils sans doute, ils ne se trouveraient pas dans cette situation, après s'être vus dans l'obligation de me suivre. Il ne leur aurait servi à rien, de toute façon, de connaître le vers de Dante ; il n'évoquait que trop un enfer auquel personne, pas même moi, n'avait envie de croire.

Parmi la vingtaine de corégionnaires entrés dans la salle je reconnus, dans un individu, le prototype de l'employé du Grand Café ; il était vêtu du gilet noir de rigueur, et sa chemise inchangée depuis plusieurs jours virait au gris. Son expression affable contrastait avec la sévérité qu'affichaient d'ordinaire les employés, mais il s'agissait effectivement de l'un d'eux. Peut-être étaient-ce les épreuves qu'il avait eu à subir qui l'avaient adouci de la sorte, pensai-je. Il distribuait, en tout cas, parmi les clients, des pilules de tranquillisant dont il avait les poches pleines. Mais au lieu de les lancer, comme j'avais vu ses collègues le faire, aux pieds de ceux qui s'apprêtaient avec angoisse à entrer dans les toilettes du Grand Café, ce garçon, si c'en était bien un, passait en revue, accroupi, la rangée de clients assis par terre, pour déposer une pilule, comme le curé l'hostie, sur la langue de ceux qui la sollicitaient ou la nécessitaient. Pleurs et gémissements s'apaisèrent assez rapidement ; beaucoup déjà dodelinaient de la tête, prêts à s'endormir. Le silence revint.

L'employé et moi étions les seuls à être restés en activité ; il s'agissait maintenant de trouver une sortie pour tous ces gens, me dit-il ; je ne lui répondis pas : il ne m'était pas facile de parler amicalement à un garçon du Grand Café.

Loin de l'entrée, vers le milieu de la salle, on apercevait des masses un peu informes ; en nous approchant, nous vîmes que c'étaient des objets de diverses tailles, enfermés dans des sacs de plastique résistant. L'employé voulut savoir de quoi il s'agissait, mais les sacs étaient solidement attachés avec des cordes, et fixés au sol par des crochets. Il s'attarda à en palper le contenu pour deviner sa nature. Je supposai qu'en tant qu'employé, il disposait sur le Grand Café — en fin de compte, nous nous trouvions dans une de ses dépendances — d'informations qui lui faisaient établir un lien entre les objets dans les sacs et une issue possible ; aussi consentis-je à lui emboîter le pas.

Nous n'étions pas toujours d'accord sur le contenu des sacs ; il les palpait et émettait des hypothèses que je trouvais échevelées parce qu'elles ne correspondaient pas à leur forme. La pensée me revint qu'il s'agissait d'un jeu codé, comme si l'employé cherchait une formule magique capable de nous ouvrir soudain une sortie. Cependant la salle, qui était assez grande, n'avait pas livré tous ses secrets ; on apercevait au fond des ouvertures qui menaient à d'autres pièces.

Un peu plus loin, on voyait tout un groupe de grandes masses qui ressemblaient à des statues enveloppées de housses.

– La clé se trouve là, disait l'employé de plus en plus obsédé, en se déplaçant frénétiquement parmi les masses.

Je supposai qu'il avait ses raisons pour le dire, aussi réprimai-je mon désir d'aller de l'avant.

– Venez écouter, me fit-il à un moment, l'oreille collée à une silhouette presque aussi grande que lui.

– Vous avez posé votre oreille à l'endroit précis du sexe d'une Vénus ou quelque chose comme ça, déclarai-je sans y croire, cherchant à détendre l'atmosphère par un brin d'humour.

– Touchez d'abord, me rétorqua-t-il très sérieusement.

– Je touche ou j'écoute ? fis-je pour gagner du temps.

Je vis passer sur son visage une ombre un peu sinistre, comme une lumière qui s'éteint et se rallume. Comme je m'approchais pour écouter, mon sens du toucher fut également sollicité, bien sûr, enregistrant non pas la dureté froide que j'avais imaginée, mais une consistance plus souple.

– N'entendez-vous pas battre un cœur?

La question de l'employé fit remonter en moi le vague souvenir sensoriel du tic-tac d'une pendule entendu à un autre moment, et qui venait d'une des plus lointaines dépendances de la salle. Mais ce que je percevais maintenant, à travers la housse, c'était plutôt un faible gargouillis continu, à l'intensité variable; une rumeur guère différente du borborygme.

L'employé avait insinué qu'il y avait une personne, là-dessous, mais étant donné sa totale immobilité, lui dis-je, elle ne pouvait être que momifiée. L'impression de borborygmes s'expliquait par la nature partagée et généralement insituable de cette manifestation physiologique.

– Ce n'est pas ça qu'on entend. C'est notre ventre qui crie famine. Allons-nous-en, décrétai-je.

L'employé murmura qu'on ne sortait de ce lieu que momifié et sous emballage. C'est absurde, protestai-je; ils sont bien arrivés jusqu'ici, ceux qui ont empaqueté les statues. Je prononçai ce dernier mot en martelant les syllabes, pour lui montrer que ses insinuations délirantes n'avaient pas prise sur moi.

– Vous oubliez les objets, répondit-il en faisant allusion aux plus petits des paquets. Ce sont des fœtus ou des nouveaux-nés, ou des fragments de corps dépecés. Ça sent le pourri, ici.

– Raison de plus pour nous en aller, répliquai-je, malgré l'absence, dans mes narines, de tout relent fétide.

L'employé pouvait déraisonner, mais son statut me faisait lui accorder plus de crédibilité que s'il s'était agi d'un corégionnaire quelconque. Ses affirmations étaient catégoriques, comme l'avaient toujours été celles de ses collègues. D'après lui, l'avis placardé sur la porte n'avait pas seulement un but dissuasif — celui d'éviter la découverte des empaquetés —; il renfermait, pour qui connaissait bien le Grand Café et ses dépendances, une menace et une sentence de mort. Bien des gens, on le savait, n'étaient jamais revenus des toilettes.

Il régnait un silence presque absolu; les autres, au loin et contre le mur, semblaient à leur tour aussi immobiles que des statues. L'idée me traversa l'esprit que l'employé n'était pas entré avec nous, mais était d'ici : maître des lieux et seigneur de ces espaces. Qu'il n'avait probablement pas distribué des tranquillisants mais du poison à mes corégionnaires ; l'empoisonnement devait être la première étape avant l'empaquetage. Dans son profil d'oiseau de proie, déambulant maintenant entre les statues ou Dieu sait quoi, il me sembla découvrir tout à coup l'éclat d'un œil assassin.

Profitant de ce que les grandes masses me faisaient sortir par moments de son champ visuel, je m'éloignai sur la pointe des pieds en direction d'une des ouvertures que je voyais au loin, le corps déjà imprégné d'adrénaline. En atteignant la première pièce, je me mis à courir de toute la vitesse de mes jambes tremblantes, en choisissant une des deux ou trois ouvertures qui s'offraient à moi, procédé que je répétai instinctivement dans chaque pièce. J'avançai assez vite, presque sans erreur ; la structure labyrinthique des lieux était des plus traditionnelles, et je n'eus qu'une fois à revenir sur mes pas. La dernière ouverture débouchait sur un escalier d'apparence bureaucratique, que je dévalai sans hésitation.

CHAPITRE V

J'arrivai dans une salle où il semblait n'y avoir aucun être humain au milieu des rangées d'ordinateurs en silencieuse et laborieuse activité. Je l'arpentai de long en large avant de poursuivre ma descente par un autre escalier identique au précédent, et de me trouver dans une nouvelle salle aux caractéristiques semblables. Dans ces solitudes de bateau fantôme qui se reproduisirent quatre fois encore au bout de volées de marches désertes, il était clair que les machines fonctionnaient toutes seules, répétant cycliquement, en d'obscurs mécanismes aveugles, les mêmes ordres arbitraires. Je me dis que c'étaient elles qui régissaient l'avènement du hasard au Grand Café ; je me souvins de la fille aux lèvres maquillées et de son hypothèse de la « divinité oisive ». Les touches, molles, n'opposaient aucune résistance à l'enfoncement et ne transmettaient, par conséquent, aucun ordre nouveau susceptible de remplacer ceux déjà programmés ; mes désirs de sabotage s'en trouvèrent frustrés ; sur les écrans défilaient, immuables, des symboles incompréhensibles.

– Grotesque, murmurai-je en guise d'insulte.

– Quand on les a installés on a oublié d'emporter ça ; heureusement, dit quelqu'un derrière moi.

C'était un tout jeune homme, âgé d'à peine vingt ans, portant amoureusement dans ses bras, comme s'il s'agissait d'un enfant, une pendule murale ancienne qui faisait entendre son tic-tac régulier. Me remettant de ma surprise, je vis qu'il venait de la décrocher d'un mur où ses contours avaient laissé une tache plus claire.

– Je dois la démonter, mettre toutes les pièces dans un sac. La destruction est imminente.

Il m'informa qu'il y en avait une autre semblable en montant les escaliers, au bout d'une espèce de labyrinthe. Je me rappelai que j'avais cru entendre la respiration d'un tic-tac, mais la hâte où j'étais m'avait empêchée de le situer.

– Mille quatre cent soixante et une dents sur sa mince roue de bronze, expliquait le garçon, tout en se disposant au démontage. Les secondes, les minutes, les heures, les jours, les mois, les années et les siècles, avec une minutieuse exactitude. Jusqu'à l'an 9999. Tout le monde l'a oublié ; personne ne sait qu'un horloger originaire de chez nous a été capable d'imiter à la perfection la pendule de Louis XV au château de Versailles. Elle est couronnée par le même globe de verre, avec une représentation des planètes et de leur gravitation d'après Copernic.

– Vous risquez d'être accusé de vol, lui dis-je.

– Par qui ?

– Ne dirait-ton pas des yeux électroniques de tous les côtés ?

– C'est bien possible, mais ça m'est égal ; le mouvement infinitésimal des aiguilles leur échappe, ils ne peuvent capter le minuscule bruit du mécanisme. De plus, c'est moi le gardien ; celui qui la remonte ; avant c'était mon père, et encore avant mon grand-père…

– Vous n'avez pas peur de ne plus pouvoir la reconstituer ?

– J'ai du temps devant moi.

– Je ne suis pas sortie depuis plusieurs jours ; on parle de destruction là-bas dehors ? demandai-je.

– Il y a des rumeurs périodiques persistantes.

– Fondées sur quoi ?

– Un bonhomme venu de loin, de l'autre côté de la mer. On dit qu'il a été envoyé par un organisme intergouvernemental chargé de l'harmonisation entre des régions éloignées. Pour assurer le mimétisme, l'indifférenciation.

– Qui dit ça ?

– Les autorités, quelles qu'elles soient. Les disparités, soutiennent-elles, favorisent des sentiments négatifs entre les peuples, étrangers les uns aux autres; les cultures réciproquement incompréhensibles développent, à la longue, de l'hostilité; elles s'appuient sur l'Histoire pour affirmer tout cela. Le Grand Café est trop original; il ne saurait durer.

– Et si ce bonhomme était venu pour le copier?

Le garçon ne répondit pas; il suivait son idée fixe :

– Mais les gens, le peuple comme on disait avant, vont les gagner de vitesse.

– Vont gagner qui?

– Les autorités, quelles qu'elles soient, répondit-il avec patience. Il va y avoir une révolte et ils vont le détruire, avec un seul regret : son originalité. Dans tous les cas de figure, cette petite risque fort d'y passer, ajouta le garçon en caressant le bois sculpté de la pendule.

– Il y a toujours de riches collectionneurs, répliquai-je pour dire quelque chose.

– Pas parmi les hordes; mais, en plus, ils ne connaissent rien à l'horlogerie. Ils ne vont pas la démonter pour la remonter, comme moi.

Il avait étendu un tapis par terre, y posant la pendule et ses outils délicats.

– La pendule de là-haut est plus particulariste que celle-ci, ou plus « régionale », si vous préférez : au lieu des planètes, sur un globe très similaire, ce sont le soleil et la lune qui tournent, en illustrant les éclipses de nos latitudes, au jour et à l'heure exacts. Les gens, dans leur majorité, ne savent pas qu'ici même, dans notre ville, la nuit va survenir en plein jour. Comme elle ne concerne qu'une petite partie de notre région, on ne mentionne pas l'éclipse sur les chaînes étrangères. Quelques imaginatifs, parmi les rares personnes au courant, parlent de destruction, voire d'apocalypse. Ils tombent dans le défaut inverse, en croyant que le monde commence et finit sous leur nez.

– Et pour quand est-elle prévue?

– Pour demain, à cette même heure.

Il se remit à aligner ses outils sur le tapis, sans se décider encore à les utiliser.

– Le Grand Café aurait pu avoir un autre destin s'il n'avait été une farce. L'imbrication du hasard et de la nécessité n'est pas représentable, dit-il comme pour lui-même.

– Est-ce que le temps le serait, par hasard? demandai-je pour le mettre à l'épreuve.

– Ce n'est pas la même chose ; la pendule n'est pas son substitut, et n'a pas non plus la prétention de le programmer. Ce sont ces machines, affirma-t-il, en regardant autour de lui, qui imposent l'ordre inflexible du Grand Café. Elles prétendent imiter le fonctionnement du hasard, et ne font que l'abolir ; et le comble, c'est qu'elles fonctionnent seules, sans avoir besoin de personne pour les remonter.

Cela coïncidait avec mes suppositions.

– Elles s'expriment à travers ces engins, commentai-je, mais en voulant lui montrer mon médaillon je découvris que je ne l'avais plus.

Je l'avais probablement perdu en courant, quand je cherchais la sortie à travers toutes ces pièces, quatre étages plus haut. Pour dissiper un peu l'accès de tristesse qui m'assaillit d'un seul coup, je relatai brièvement au garçon mes « aventures » depuis mon entrée dans les toilettes du Grand Café.

– Vous racontez tous des choses différentes, remarqua-t-il, mais les médaillons sont autonomes.

– Ils ne sont pas commandés par les machines, alors?

– Probablement pas. Ils sont plus puissants, plus perfectionnés et plus souples. Ils se connectent, m'a-t-on dit, sur l'hémisphère droit du cerveau...

Je ne voulus pas approfondir, pour ne pas troubler sa concentration. Le garçon avait dévissé le couvercle de bois et mis à jour le minutieux mécanisme. Il le contemplait, hésitant à aller plus loin, effrayé sans doute à l'idée de faire taire le tic-tac.

Les ordinateurs produisaient un souffle continu, sans faille.

– Ils ont l'air tout-puissants, mais ils ne le sont pas tant que ça. Ils n'ont pas été faits pour durer bien longtemps, en tout cas. La pendule, par contre... Bon, il est temps que je l'emporte. En plus, j'aimerais récupérer aussi l'autre, celle du « labyrinthe », précisa-t-il, dessinant les guillemets dans l'air ; ma famille l'attend, surtout mon père, ajouta-t-il, en regardant vers le haut des escaliers que j'avais descendus.

Devant mon air surpris, il me raconta que leur maison avait été phagocytée par le Grand Café, mais que sa famille avait réussi à se maintenir sur place ; ils étaient dans le quartier depuis plusieurs générations, et n'avaient pas envie de déménager. Ils avaient dû céder des pièces, ne connaissaient plus la lumière du jour ni les fenêtres, avaient perdu presque toute intimité. Lui devait démonter la pendule ici, faute de pouvoir se concentrer convenablement là où ils habitaient. Sa famille, par-dessus le marché, était dans une mauvaise passe ; ses parents se faisaient du souci pour ses deux sœurs. L'aînée, par suite du changement de leurs conditions de vie, peut-être, de l'invasion du Grand Café et du chaos tyrannique qui y régnait, était devenue folle ; elle ne reconnaissait plus personne. Elle appelait sa mère « Madame ». Celle du milieu, succombant au chant des sirènes, était partie explorer les environs. Pendant quelque temps, elle n'avait plus donné signe de vie, et puis elle était revenue, un beau jour, avec un bébé et un compagnon, un brave type, bien qu'un peu faible de caractère. L'enfant était malade ; il ne se réveillait même pas pour manger. Mais il vivait toujours. Maintenant sa sœur était repartie, leur laissant le bébé, à la recherche, avait-elle dit, du véritable père, un certain Juan de Menda. L'autre aussi avait disparu ; ses parents n'avaient plus que lui comme consolation. Et cette pendule leur appartenait.

– Mon ex-exécutante, une traîtresse..., murmurai-je.

– Tout le monde a ces mots ridicules à la bouche, répliqua le garçon avec irritation. Ça ne me gêne pas que vous restiez, ajouta-t-il, d'un ton brusquement sec, comme s'il regrettait de m'avoir raconté sa vie, mais j'ai à faire, et j'ai besoin de me concentrer. En descendant par cet escalier vous débouchez sur un tunnel qui mène aux sous-sols de l'ancien théâtre. Vous pourrez, par là, sortir dans la rue.

Tout en descendant, j'entendis des voix derrière une petite porte basse, presque invisible dans un recoin de l'escalier, et dont le bois creusé de profonds sillons révélait l'ancienneté, insolite dans ce cadre aseptisé. Je ne pus résister à la tentation d'y coller mon oreille, car il me sembla reconnaître la voix de Juan de Menda parmi plusieurs autres qui parlaient, discutaient ou négociaient.

– Il vous faudra déposer une patente locale avant de prétendre en déposer une générale dans d'autres régions, disait la voix que j'avais cru reconnaître.

– C'est l'inventeur qui doit se présenter. Sait-on qui c'est ? demanda quelqu'un.

Il ne s'agissait pas d'un inventeur individuel, dirent plusieurs voix dans le désordre, mais collectif. C'étaient les autorités.

– Étant exclu que ces dernières se soient présenté une demande à elles-mêmes, n'importe qui peut y aller, affirma une voix de femme.

– Les démarches sont longues. Et il faut de l'argent; beaucoup.

Par son accent et son timbre, j'eus à nouveau l'impression que cette dernière voix appartenait à Juan de Menda. Si c'était vraiment lui, ses progrès dans le maniement actif du langage étaient stupéfiants, pensai-je.

Je décidai de rester là jusqu'à la fin de la réunion; peut-être récupérerais-je ainsi notre invité et sortirions-nous ensemble dans la rue.

L'objectif de mes corégionnaires semblait être de convaincre le prétendu Juan de Menda de l'intérêt d'importer dans son pays une copie du Grand Café.

– Il ne faut pas oublier que tout n'est pas patentable, en affirma un autre. Voyons voir (son ton me fit penser qu'il s'apprêtait à donner lecture d'un règlement ou de quelque chose du même acabit) : la patente n'a pour objet que la partie technique de l'innovation, et non son aspect extérieur, ni son nom. Pareillement, ne peuvent être patentées les innovations abstraites telles que les théories scientifiques, les découvertes de phénomènes naturels, les méthodes intellectuelles, etc... Parmi les critères d'octroi de la patente une place fondamentale est dévolue à l'activité inventive, c'est-à-dire au caractère inédit de l'invention, mais également, et surtout, à l'obtention d'un « résultat industriel ». L'objet de la patente n'est pas le résultat mais les moyens visant à l'obtenir.

Des discussions quelque peu désordonnées reprirent dans l'assistance; certains se demandaient si les responsables de l'octroi de la patente considéreraient qu'il s'agissait d'une innovation technique. Sans doute, affirmèrent plusieurs personnes, trouveraient-ils moyen de dire qu'elle était surtout de type abstrait, puisqu'elle consistait en une réflexion sur le destin, sur l'imbrication inextricable du hasard, de la volonté, du déterminisme, de la liberté.

Je fus à la fois surprise et irritée par ce ton lyrique, dépourvu de la moindre trace de critique. À part Marilyn et la femme aux yeux bleus dans la file des toilettes, je n'avais guère croisé de clients conformistes ; même mon ex-exécutante n'avait jamais manifesté d'adhésion aussi entière aux desseins du Grand Café.

La voix de femme rétorqua que l'endroit débordait d'inventions techniques, personne ne pouvait dire le contraire, aussi bien dans la salle — le verre photosensible des panneaux et des baies vitrées extérieures, les éclaircies, les signaux de vidage des lieux — que dans les toilettes — les portes camouflées, celles qui une fois fermées ne pouvaient se rouvrir et, par-dessus tout, ces petites merveilles qu'étaient les médaillons.

La difficulté majeure gisait dans l'impossibilité de décrire le fonctionnement de tout cela. Personne ne connaissait le secret des dispositifs, pour ne mentionner qu'eux. Aucun client n'avait jamais pu en ouvrir un pour étudier son mécanisme.

Le service des patentes, dit un corégionnaire, n'exigeait pas forcément le dévoilement de tels secrets. Cela faisait des années, on s'en souviendrait sans doute, que la composition de certaines boissons universellement connues restait une énigme.

– Si je comprends bien, vous voulez faire patenter une invention qui est l'œuvre d'autrui — les autorités, quelles qu'elles soient —, et dont vous ignorez les mécanismes, intervint à nouveau l'étranger qui était peut-être Juan de Menda.

Plusieurs voix se firent entendre en même temps, parfois successivement, pour exprimer en substance la même chose ; à savoir que, si personne ne réclamait cette propriété, comme tout le laissait supposer, vu qu'aucune personne physique responsable n'apparaissait nulle part, c'était normalement à eux, les usufruitiers, qu'il revenait de le faire.

Je fus sur le point d'entrer pour intervenir. J'aurais aimé savoir s'il ne s'agissait pas là d'une tentative d'appropriation du Grand Café ; sinon pourquoi, alors qu'ils étaient des victimes ou, dans le meilleur des cas, des instruments, se considéraient-ils comme « usufruitiers » ? Je me demandais comment ils résoudraient le paradoxe consistant à se situer à la fois des deux côtés de la ligne de démarcation. Je demeurai pourtant à l'écoute, sans me décider encore à ouvrir la porte.

– Vous allez trouver ça bizarre, dit quelqu'un en s'adressant à l'étranger, mais, bien que les clients du Grand Café aient à subir des expériences, ou appelons-les des « épreuves », parfois pénibles, voire dangereuses et même mortelles dans certains cas, il convient de ne pas oublier qu'ils l'ont fait de leur plein gré : les longues queues dans la rue sont là pour l'attester.

Je dus contenir une indignation qui faillit me faire, une nouvelle fois, ouvrir la porte et me mêler à la discussion : on ne donnait sur le Grand Café aucune information véridique, et les gens y entraient sans savoir ce qui les attendait ; les autorités, ou ce qu'on voudra, abusaient de la naïveté et de la sottise ambiantes.

– Nos corégionnaires, il est vrai, poursuivit le dernier à avoir parlé, ignorent ce qui les attend une fois dedans ; ce peuvent être aussi bien des événements fabuleux que des souffrances : nul ne peut le savoir. Il est indéniable, en revanche, que ceux qui en ressortent sains et saufs se sont enrichis là d'une expérience irremplaçable, qui les accompagnera leur vie durant.

L'étranger n'était pas disposé à se laisser convaincre si facilement et objecta que les gens, dans leur fascination pour l'établissement, devaient négliger d'autres occupations, telles que le travail ou les études, pour les plus jeunes, et que cela nuisait sans doute à la productivité de la région.

On lui répondit que le préjudice était minime, et que le Grand Café était un pôle hyper-dynamique de création d'emplois et de lutte contre le chômage : il ne fallait pas oublier que cette énorme structure exigeait un entretien permanent, ajouta-t-on.

Je vais entrer, pensai-je, je ne peux les laisser lui mentir aussi effrontément. Mais, une fois de plus, je ne parvins pas à me décider.

Le prétendu Juan de Menda objecta encore que, d'un point de vue humanitaire, l'invention était des plus douteuses : les queues étaient épuisantes, nombre de ceux qui stationnaient là s'évanouissaient de fatigue et de découragement ; le brouillard engendrait refroidissements, angines et pneumonies.

– Personne ne les y oblige, lui répondit quelqu'un.

– Tout se paie, affirma la femme. Et les gens, on le sait bien, ont besoin de se distraire de leur routine.

La logique de cette affaire était indiscutable, ajouta-t-elle avec une vibration mielleuse des cordes vocales, ne trouvez-vous pas ?

Son ton séducteur suggérait une exhibition de cuisses ou de décolleté.

– Si vous le dites, répondit le prétendu Juan de Menda, d'une voix tout aussi veloutée.

Cette fois, je n'y tins plus et ouvris la porte.

Dans la pièce obscure il n'y avait personne. Un appareil, sur une table entourée de chaises vides, reproduisait la conversation enregistrée. À l'instar des ordinateurs, il était impossible de l'arrêter; mais, contrairement à ceux-ci, il ne présentait pas la moindre touche. À la dernière phrase succéda un intervalle de silence et j'attendis; j'avais envie de savoir s'ils avaient convaincu l'étranger.

– « C'est une invention. Nous voulons que ce soit bien entendu, dit une voix d'homme jeune, qui me sembla déjà familière.

– « Il vous faudra déposer une patente locale avant de prétendre en déposer une générale dans d'autres régions, répondit le supposé Juan de Menda.

– « C'est l'inventeur qui doit se présenter. Sait-on qui c'est? »

Je me rendis compte qu'après l'intervalle de silence la bande enregistrée avait recommencé à défiler.

Fermant derrière moi la lourde porte, je sortis et descendis le reste de l'escalier, comme me l'avait indiqué le jeune homme à la pendule.

Le théâtre était abandonné; on n'y donnait plus de représentations; il avait été acquis, lui aussi, par le Grand Café, sans qu'on lui ait, pour autant, trouvé encore de nouvelle affectation.

Cela sentait le renfermé et l'humidité, mais le velours cramoisi des fauteuils conservait le toucher si doux qui m'avait parfois fait frissonner dans mon enfance. Le silence bruissait du souvenir des applaudissements et des émotions. La pénombre fourmillait de la succession fantomatique de ceux qui s'étaient assis dans les loges et à l'orchestre pour jouir en commun de l'exacerbation de la vie.

Quelques détritus, épars au milieu des fauteuils, révélaient maintenant la visite sporadique de vagabonds, périodiquement chassés de là par la police. C'étaient eux qui avaient réussi à creuser un passage par où se glisser sous la porte en planches qui avait remplacé celle d'origine, depuis longtemps disparue.

Je sortis sur les vieux pavés.

Le temps était presque agréable, sans crachin ni brouillard. À chaque coin de rue je craignais ou attendais, par réflexe — le jeu avait duré assez longtemps pour m'en créer plus d'un —, l'intervention inopinée de quelque cause d'origine inconnue, qui m'imposerait ou me suggérerait des directions étrangères à ma volonté première. Mais dehors, désirs et illusions recouvraient toute chose de leurs voiles de brume. Destin insondable, hasard ingouvernable régissaient ce monde qui, je le savais, était fait de la même substance imparfaite et périssable que celui de la remise ou de n'importe quel autre lieu.

La queue du Grand Café, que j'aperçus de loin, n'était ni plus ni moins longue que d'habitude.

Quelque chose, pourtant, avait changé. En face du Grand Café je découvris le nouvel établissement, beaucoup plus petit, avec une porte à tambour proportionnelle à sa taille, au-dessus de laquelle on pouvait lire l'enseigne allusive : *Petit Café.* Je reconnus à travers les vitres quelques corégionnaires, mais ni Juan de Menda ni mes camarades de mission ne se trouvaient là.

Retraversant la rue, et faisant usage de mon privilège, je débloquai la porte à tambour du Grand Café avec la carte qui, pendant tout ce temps, était restée à l'abri d'une de mes poches. J'eus la chance de tomber sur un moment où les panneaux étaient transparents, et ne tardai pas à repérer mes compagnons assis à une table.

– Tu as tardé un peu plus que Juan, me dit Marilyn. Il vient de revenir.

– Il s'est passé beaucoup de jours? demandai-je.

– Une flopée! dit Wilfredo en plaisantant ostensiblement.

Je remis à plus tard l'éclaircissement de la situation temporelle. Notre invité m'intéressait davantage. Me jetait-il vraiment des regards scrutateurs? Je n'en étais pas très sûre, mais ne m'en privais pas pour ma part, épiant comme toujours les expressions de son visage. J'aurais aimé savoir s'il s'interrogeait, lui aussi, au sujet de la nature du temps et de l'espace où nous nous étions peut-être rencontrés.

Nous commandâmes tous deux le plat le plus abondant du Grand Café. Le prétexte du repas nous dispensait de parler. Épuisée et affamée, je n'avais nulle envie, pour le moment, de répéter à l'usage de mes corégionnaires ce que, par ailleurs, je venais de raconter un instant plus tôt au garçon à la pendule. De leur côté cependant, ni Wilfredo ni Marilyn ne posaient non plus de questions; ils se bornaient à suivre, d'un œil songeur, la fumée qui montait de leurs cigarettes. Peut-être s'étaient-ils, eux aussi, rendus aux « toilettes », pensai-je. Il me sembla les voir de temps en temps, comme moi, porter la main à leur cou en un geste inconscient, à la recherche de leur médaillon perdu.

Nous gardions le silence, mais quelque chose bouillonnait dans notre for intérieur ; aussi nous joignîmes-nous sans hésiter à l'émeute, qui ne se déclara, heureusement, qu'après que Juan de Menda et moi eûmes fini de nous restaurer.

Pics et pioches surgirent de tous côtés, si nombreux que la plupart des clients en furent armés ; très peu firent défection, même parmi les employés. Nous nous en prîmes aux panneaux, au comptoir, aux tables et aux chaises, et à la porte qui menait aux toilettes, mais sans réussir à l'ouvrir. Bien que le garde posté dehors ait abandonné sa surveillance, aucun de ceux qui faisaient la queue ne put entrer. La porte à tambour s'était bloquée après un coup de pic peut-être donné à un endroit-clé situé en dehors d'elle, mais, mise à part son immobilité totale, rien ne lui était arrivé : elle résistait, indemne et inviolée.

Le mécanisme d'opacification des vitres s'était aussi détraqué, de sorte que les clients de dehors n'étaient visibles que de façon syncopée ; les baies ne cessaient de s'éclaircir et de redevenir opaques, en systole et diastole. La réalité extérieure nous parvenait entrecoupée, de la même façon que, pour nos corégionnaires de la rue, le spectacle de l'émeute était intermittent.

Les panneaux étaient, certes, incassables, mais à force de coups de pic acharnés ils explosaient soudain en milliers d'éclats qui couvraient le sol. Leur démolition nous arrachait de longs cris de joie ; l'euphorie de la libération gagnait tout l'espace, avec son pétillement singulier.

Quelqu'un avait introduit les pioches et les pics au Grand Café, mais l'émeute avait surgi quasi spontanément. C'est nous-mêmes qui menions à bien la destruction prophétisée ; et si par hasard Juan de Menda méditait un coup quelconque, comme le bruit en avait couru, il était évident que les événements l'avaient pris de vitesse, et que son comportement et son enthousiasme à détruire n'étaient pas différents des nôtres. Au demeurant, rien ne prouvait qu'il n'était pas venu avec la mission de réunir assez d'informations sur le Grand Café pour en installer un semblable sous d'autres latitudes. Pour une fois, en tout cas, j'avais plaisir à penser que si le hasard refaisait son apparition, c'était pour s'insinuer, retors et élastique, dans l'anéantissement de cette triste farce.

Les choses n'avançaient guère, cependant. Malgré tous leurs efforts, ceux qui étaient à l'extérieur ne parvenaient pas à entrer au Grand Café ; la porte était impossible à débloquer et aucun d'eux ne semblait armé. Le moment était venu de s'attaquer aux baies vitrées, mais il arriva ce que nous craignions : elles étaient beaucoup plus solides que les panneaux, et nos coups de pic, en les entamant, ne parvinrent qu'à créer un effet de verre cathédrale qui empêcha la communication visuelle avec ceux de la rue.

Debout sur une table, j'observais un spectacle chaotique et décevant de clients désorientés brandissant leurs pioches dans le vide. Nous étions enfermés, sans même réussir à ouvrir une brèche du côté des toilettes, et la panique nous guettait. D'un moment à l'autre — cette pensée nous hantait — la répression s'organiserait et nous prendrait de plein fouet. Il ne restait qu'une solution : nous attaquer à la porte à tambour. Nos scrupules finirent par voler en éclats et la porte, miraculeusement, non sans quelques cicatrices, il est vrai, reprit son fluide cours circulaire d'avant les transformations. Une acclamation interminable, assourdissante, flotta au-dessus des têtes. Rien ne pouvait plus arrêter la porte : libérée des trajets fractionnés et des parcours bégayants, portion de cercle après portion de cercle, qui lui avaient été imposés, elle venait de retrouver son mouvement planétaire.

Il se forma deux queues indisciplinées : une pour sortir, une pour entrer, et les clients s'entassaient à plusieurs dans chaque compartiment de la porte. La pression était si forte qu'on n'arrivait pas toujours à entrer ou sortir selon son désir. Je fus poussée avec Juan de Menda, serrés à étouffer contre d'autres clients, dans le premier secteur de la porte à tambour qui se présenta. Au long des deux tours que nous fîmes je reconnus son corps sous sa chemise, le contact de ses mains me prenant aux épaules et le parfum qui m'avait enivrée dans la zone des lits. Au milieu du troisième tour, je me vis propulsée dans la rue et noyée au sein d'une foule frénétique qui attendait son tour pour entrer. Impossible de savoir si Juan était lui aussi sorti, ou s'il était resté à l'intérieur. La cohue ne cessait pas, les gens accouraient de toutes parts ; le Grand Café, quant à lui, donnait l'impression d'une fabrique d'humains éjectés en série par sa porte à tambour. Certains des milliers de visages que je voyais m'étaient vaguement familiers, mais aucun n'était celui de Juan de Menda. Je le cherchai aussi dans les rues avoisinantes parcourues par des groupes de corégionnaires qui manifestaient leur joie en chantant, bras dessus bras dessous, avec des zigzags d'ivrognes.

J'étais à quelque distance du Grand Café lorsque le ciel s'embrasa de l'éclat rougeâtre qui devait persister une bonne partie de la nuit commençante. Je me rapprochai, prise dans une multitude qui accourait de tous les points cardinaux, jusqu'à arriver à la lisière des grandes flammes sauvages. Personne ne venait éteindre l'incendie, contemplé par une foule hagarde. Des phrases désolées se détachaient parfois sur le fond du grand souffle du feu traversé de crépitements et de craquements, et des hurlements déchirants de ceux qui, par milliers, s'étaient fait prendre au piège. Parmi eux pouvaient se trouver Wilfredo, Marilyn et Juan de Menda, la fausse désignée et le faux exécutant, le bébé, le jeune homme à la pendule, la famille d'adolescents et tant d'autres. Les larmes qui jaillissaient de nos yeux séchaient à mi-parcours sur nos joues rendues brûlantes par la proximité du brasier.

Il se forma une chaîne de seaux fournis par des voisins, emplis de l'eau de la fontaine la plus proche, qui parvint à tenir en respect les flammes qui menaçaient la porte à tambour.

À un moment, une camionnette pourvue d'un haut-parleur passa dans une rue transversale en annonçant que les autorités déclinaient toute responsabilité quant à ce qui était en train d'arriver, et renonçaient aussi à intervenir dans les desseins de la Destinée. Tout comme le big-bang, disaient-ils, il s'agissait là d'une « explosion » due à la coïncidence de facteurs variés, et eux, quels qu'ils soient, ne se sentaient pas autorisés à s'interposer. Un groupe de corégionnaires put rattraper la camionnette et l'arrêter. Le chauffeur, incroyablement, réussit à prendre la fuite, et j'aperçus sa mince silhouette typique à laquelle ne manquait qu'un plateau en équilibre sur les doigts de la main gauche. Le haut-parleur continua à éructer des phrases entrecoupées et incompréhensibles, jusqu'au moment où il se tut tout à fait, mis à mal par les coups de pic.

Épilogue

Face au *Petit Café*, de l'autre côté de la rue, une porte à tambour, solitaire, sauvegardée et unique, comme suspendue dans le vide. Derrière, un terrain dévasté par le feu et encore fumant, s'étendant jusqu'à l'horizon.

Une jeune femme trouve une mince roue de bronze, noire de suie, et passe son doigt, pensive, sur ses dents innombrables.

D'autres cherchent, tels de patients pêcheurs de coquillages, des traces de médaillons.

Blessée par les entailles des pics, semblable à une baleine millénaire, la porte à tambour poursuit sans fin son voyage circulaire. Il y a toujours quelqu'un pour obéir au rite d'y faire plusieurs tours avant de laisser sa place au suivant, sans qu'aucune pause ne s'installe qui ralentisse ou arrête le mouvement.

Je la contemple maintenant du *Petit Café*, où je viens de retrouver Wilfredo.

Je reconnais plusieurs clients croisés aux toilettes, sur l'Escalier, dans la zone des virus, à la roulette russe...

Un des employés qui nous sert ressemble étonnamment à celui qui distribuait des comprimés dans la salle aux grandes masses ; le même œil brillant dans son profil d'oiseau.

L'établissement se remplit peu à peu de gens qui commentent l'actualité, et je capte distraitement des fragments de conversation :

– ...un attentat, un acte de sabotage...

– ...ça vaut la peine d'y plonger le doigt; il y a plusieurs centimètres de cendre...

– ...cela fonctionnait seul; personne ne se déclarait responsable...

– ...trop original, ont-ils dit...

– ...une grande partie des cendres blanchâtres qui couvrent le terrain est d'origine humaine...

– ...une émeute avec des pics...

– ...un jeu de démiurges déserteurs...

– ...d'origine humaine, je vous assure...

– ...ce sont les pics qui ont provoqué l'incendie...

– ...un certain De Mendis, ou quelque chose comme ça...

– ...quels que soient...

– ...ont provoqué l'incendie?...

– ...certaines décisions au hasard et d'autres à la justice...

– ...les pics?

– ...le big-bang, ont-ils dit...

– ...où que se trouvent...

Malgré les pertes subies, il n'y a pas au *Petit Café* de place pour tout le monde. Une file de corégionnaires se forme à l'extérieur. Les plumes des chapeaux tremblotent à la queue leu leu sous la brise légère. À l'horizon guettent, menaçants, des bancs de brouillard.

Et moi j'espère, sans trop me laisser aller à la confiance, voir sortir de la brume et émerger à la réalité quelques-uns de mes plus assidus compagnons de voyage. Peut-être Wilfredo, lui aussi, a-t-il la nostalgie de quelque exécutant, de quelque désigné, vrai ou faux...

En tout cas, nous attendons, côte à côte. Nous ne savons rien de Marilyn ni de Juan de Menda, mais nos présences respectives nous autorisent quelque espoir.

Les visages, les corps de mes corégionnaires présents et absents, les espaces, les portes et les escaliers, se superposent et se bousculent derrière mes orbites. Les phrases dites ou pensées résonnent dans la clôture de mon cerveau, trop petit pour les contenir toutes.

Par moments, comme si se dissipait une autre brume, je vois à travers la vitre le va et vient ordinaire de la rue. Les piétons portent sous le bras des journaux annonçant en gros titre une éclipse.

J'entends dans mon dos la paisible rumeur d'un café comme il y en a tant et dont personne ne sait qu'ils cachent, en d'invisibles recoins, une foule de mondes.

COLLECTION TERRES D'AILLEURS

BIBLIOTHÈQUE IRLANDAISE

Walter Macken
ET DIEU FIT LE DIMANCHE…
et autres nouvelles
LE SEIGNEUR DE LA MONTAGNE
roman
LA QUÊTE DE BELLE-TERRE
roman
LES ENFANTS DE LA PLUIE ET DU VENT
roman

•

Bernard Berrou
UNE SAISON EN IRLANDE
récit

•

Lord Dunsany
VENT DU NORD
roman

•

James Stephens
LE POT D'OR
roman
DEIRDRE
roman

•

Maurice O'Sullivan
VINGT ANS DE JEUNESSE
roman

•

Patrick Kavanagh
L'IDIOT EN HERBE
récit autobiographique

•

Kathleen & Brian Behan
MÈRE DE TOUS LES BEHAN
récit autobiographique

•

Frank O'Connor
LE VISAGE DU MAL
et autres nouvelles

•

Maurice Walsh
L'HOMME TRANQUILLE
roman

•

John M. Synge
LES ÎLES ARAN
récit

•

Donn Byrne
LA BAIE DU DESTIN
roman

•

Liam O'Flaherty
LE MOUCHARD
roman

•

BIBLIOTHÈQUE GALLOISE

Anthologie présentée par
C. Lewis & J.-Y. Le Disez
QUELQUES NOUVELLES DU PAYS DE GALLES
nouvelles

•

William Owen Roberts
LA PESTE NOIRE
roman

•

Sonia Edwards
VERS LA BLANCHEUR DE L'AUBE
roman

•

Christopher Meredith
GRIFFRI
roman

•

Robin Llewellyn
ÉTOILE BLANCHE
SUR FOND BLANC
roman

•

COLLECTION CARAVELLE

Ramón Chao
(Galice)
LE LAC DE CÔME
roman

•

Mario Vargas Llosa
(Pérou)
ENTRETIEN AVEC MARIO VARGAS LLOSA

•

Silvia Larrañaga
(Uruguay)
GRAND CAFÉ
roman

À PARAÎTRE

Miguel de Unamuno
(Espagne)
BROUILLARDS
roman

•

Achevé d'imprimer sur les presses de Dumas-Titoulet Imprimeurs
pour le compte des éditions Terre de Brume en janvier 2003.
N° d'imprimeur : 38727
Dépôt légal : mars 2003